DIWRNOD MEWN HANES

RHYDDHAU
NELSON MANDELA

Simon Beecroft

Addasiad Elin Meek

Gomer

CYNNWYS

Dydd Sul, 11 Chwefror 1990, cafodd Nelson Mandela ei ryddhau o garchar wedi dros 27 mlynedd o dan glo. Roedd llygaid y byd ar y dyn bregus hwn a'i wallt gwyn. Roedd wedi dod yn symbol o ryddid i bobl De Affrica a miliynau o bobl eraill ledled y byd. Gydol ei oes fel oedolyn, roedd Nelson Mandela wedi brwydro dros gydraddoldeb rhwng y bobl dduon a'r bobl wynion yn Ne Affrica, a thros gael gwared ar apartheid, system o arwahanu hiliol.

Collodd ei ryddid oherwydd y frwydr hon, ond cadwodd ei freuddwyd, ac ar ôl cael ei ryddhau, daeth Mandela yn arlywydd cyntaf De Affrica. Heddiw, er bod Mandela wedi ymddeol o fod yn arlywydd, mae'n dal yn symbol o oddefgarwch a dyngarwch.

Roedd yr heddlu'n aml yn trin pobl dduon yn greulon adeg y gyfundrefn apartheid.

Ganwyd Nelson Mandela ar 18 Gorffennaf 1918, mewn pentref yn Transkei, ardal o Dde Affrica.

Cyn cael ei arestio, roedd Mandela yn gyfreithiwr amlwg yn Johannesburg. (Llun gan Jurgen Schadeberg)

Drwy gydol yr 20fed ganrif, roedd aflonyddwch sifil yn graith ar gefn gwlad hardd De Affrica (uchod).

Affrica am eu bod yn teimlo nad oedd Cyngres Genedlaethol Affrica (ANC) yn cael effaith ar lywodraeth y wlad, oedd yn llawn pobl wynion.

Hyd yn oed ar ôl iddo ymddeol, mae Nelson Mandela wedi parhau i ddylanwadu ar faterion pwysig y byd.

Roedd yn rhan o deulu brenhinol Tembu, llwyth sy'n siarad iaith Xhosa. Yn yr iaith Xhosa, ystyr Rolihlahla, ei enw gwreiddiol, yw 'un sy'n creu helynt'. Addysgwyd Mandela ym Mhrifysgol Fort Hare ond cafodd ei ddiarddel oddi yno yn 1940. Dychwelodd adref, ond rhedodd i ffwrdd i osgoi priodas wedi'i threfnu. Yn y pen draw, cafodd radd yn y gyfraith o Brifysgol De Affrica. Sefydlodd Mandela a'i ffrind, Oliver Tambo, gwmni cyfreithwyr duon cyntaf De Affrica, gyda help Walter Sisulu. Yn 1944, sefydlodd y criw Gynghrair Ieuenctid Cyngres Genedlaethol

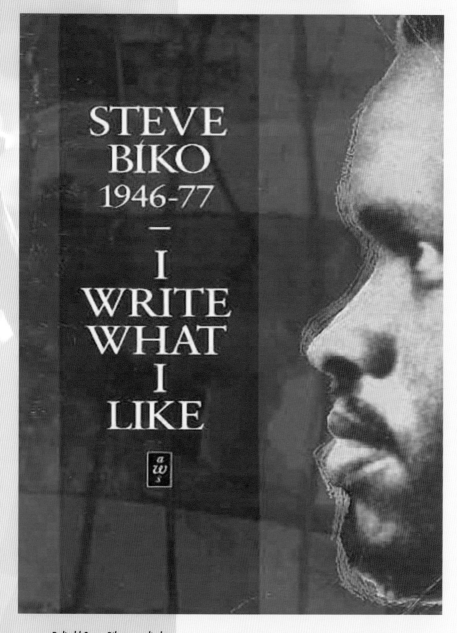

Daliodd Steve Biko a mudiad Ymwybyddiaeth y Duon (Black Consciousness) i frwydro yn erbyn apartheid yn y 1970au.

'Yn fy ngwlad i rydyn ni'n mynd i garchar yn gyntaf ac yna'n dod yn Arlywydd.'

Nelson Mandela

difrod ac o frad a'i ddedfrydu i garchar am oes.

Tra oedd Mandela yng ngharchar, daliodd ei gefnogwyr ati i frwydro ar ei ran. Yn y 1970au, daeth mudiad Ymwybyddiaeth y Duon – o dan arweiniad Steve Biko – i'r frwydr, gan annog y bobl dduon i fod yn falch o'u hunaniaeth. Yna, yn yr 1980au, lansiodd mudiad o'r enw'r Ffrynt Democrataidd Unedig (UDF) ymgyrch genedlaethol o'r enw 'Rhyddhewch Mandela'. Yn y 1980au, cafodd yr Arlywydd FW de Klerk ei ethol, ac ar ôl cyfnod o drais difrifol sylweddolodd arweinwyr gwleidyddol De Affrica y byddai'n rhaid i bethau newid.

Yn 1960, cafodd yr ANC ei gwahardd gan y llywodraeth ar ôl Cyflafan Sharpeville, lle cafodd 69 o wrthdystwyr eu saethu gan yr heddlu. Teimlai Mandela fod yn rhaid newid o wrthdystio heddychlon er mwyn gwrthwynebu apartheid yn fwy cadarn. Yn 1964, cafwyd ef yn euog o achosi

Erbyn diwedd y degawd, roedd llywodraeth De Affrica yn trafod rhyddhau Mandela, ac ef oedd yn cael penderfynu ar amodau'r rhyddhau.

Yna, ar 11 Chwefror 1990, cafodd Nelson Mandela ei ryddhau o'r diwedd, ac fe gafodd groeso brwd gan y dyrfa fawr.

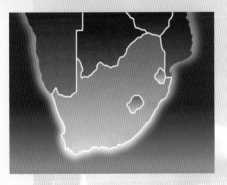

Roedd rhyddhau Mandela'n ddechrau pennod newydd i Dde Affrica. Er bod llywodraeth de Klerk wedi cyhoeddi y byddai'n cael gwared ar apartheid yn raddol, sylweddolai Mandela fod pobl De Affrica'n ddiamynedd, a gorfododd de Klerk i gyflymu'r newid. Yn 1994, cynhaliwyd yr etholiadau cyffredinol cyntaf, a chafodd Mandela ei ethol yn arlywydd du cyntaf De Affrica. Yn 1999, ymddeolodd Nelson Mandela, ond mae'n dal i ymwneud â materion pwysig ei wlad. Ac er bod De Affrica'n dal i wynebu sawl her, fydd pobl y wlad byth yn anghofio rhan Mandela wrth ddinistrio hen system apartheid atgas.

Mae De Affrica ar waelod y cyfandir. Mae gan y wlad gyfoeth o aur a diemwntau, felly roedd yn bwysig iawn i'r bobl wynion a ymsefydlodd yn y wlad yn y 19eg a'r 20fed ganrif.

Mae Nelson Mandela wedi bod yn briod dair gwaith, ac mae ganddo 45 o blant ac wyrion.

M ae hanes cythryblus i Dde Affrica. Ers i'r bobl gyntaf o Ewrop fynd yno yn y 15fed ganrif, mae anturwyr o'r Iseldiroedd a Phrydain wedi ymladd i reoli'r darn hwn o dir. O ganlyniad, cafwyd sefyllfa wleidyddol lle roedd lleiafrif gwyn yn rheoli De Affrica am y rhan fwyaf o'r 20fed ganrif. Yn erbyn y traddodiad hir hwn lle roedd y bobl wynion yn tybio eu bod yn well na'r bobl dduon yr ymladdodd Nelson Mandela a nifer o rai eraill.

Pobl o'r Iseldiroedd oedd y rhai cyntaf o Ewrop i gyrraedd De Affrica. Defnyddiodd Cwmni Masnachu 'Dutch East India' (llun canol) ei longau gwych i gludo nwyddau i mewn ac allan o Affrica.

Mae'r bachgen Bantu hwn yn dysgu technegau hela traddodiadol. Mae'r Bantus wedi bod yn Ne Affrica ers cannoedd o flynyddoedd.

Y trigolion cynharaf

Grwpiau o helwyr a chasglwyr crwydrol oedd y trigolion cyntaf yn yr ardal hon ar benrhyn Affrica. Yna, rywdro cyn yr 17eg ganrif, symudodd nifer o bobloedd oedd yn siarad Bantu i'r ardal, gan gynnwys Sotho, Swazi, Xhosa (pobl Mandela) a Zulu. Yn 1488, Bartolomeu Diaz, fforiwr o Bortiwgal, oedd yr Ewropead cyntaf i hwylio o gwmpas penrhyn De Affrica, cyn y daeth setlwyr o Ewrop. Teithiodd yr Iseldirwyr (y Boeriaid, sef ffermwyr) yno yn yr 17eg ganrif gyda chwmni Dutch East India. Arhosodd rhai, a dwyn tir oddi ar y bobl frodorol.

Wedyn, daeth y Prydeinwyr yn y 19eg ganrif, a thyfodd drwgdeimlad rhwng y bobloedd.

Brwydro am aur

Yn 1867, darganfuwyd diemwntau yn Ne Affrica, ac yna aur yn 1886. Cyrhaeddodd llawer o chwilwyr o dramor y wlad a'i gweddnewid yn fwyngloddiau a thomenni. Bu gwrthdaro rhwng y bobl newydd hyn â'r Boeriaid, a cheisiodd y Prydeinwyr gymryd rheolaeth dros ranbarth Transvaal yn ne-ddwyrain De Affrica. Trechodd y Boeriaid y Prydeinwyr i ddechrau, ond, ar ôl Rhyfel y Boer (1899–1902), cipiodd y Prydeinwyr reolaeth dros Transvaal a'i fwyngloddiau.

BANTUS

Y Bantus crwydrol, neu Bobl y Prysglwyni, oedd rhai o'r bobl gyntaf i fyw yn Ne Affrica. Yn yr hen amser, nhw oedd y llwyth mwyaf niferus yn yr ardal. Heddiw, dim ond tua 26,000 sydd ar ôl, ac mae rhai ohonyn nhw'n byw yn Niffeithwch Kalahari.

AFRIKANERS

Disgynyddion yr ymsefydlwyr gwreiddiol o'r Iseldiroedd, yr Almaen neu Ffrainc yw'r Afrikaa`ners. Roedden nhw'n siarad Iseldireg yn wreiddiol, ond wrth iddyn nhw ddechrau cynnwys geiriau Affricanaidd, newidiodd yr iaith ac Afrikaans yw'r enw arni nawr.

Yr Ail Ryfel Byd

Yn ystod yr Ail Ryfel Byd (1939–45), ymunodd De Affrica â'r Cynghreiriaid yn erbyn yr Almaen. Oherwydd y rhyfel, doedd Ewrop ddim yn gallu cyflenwi nwyddau wedi'u gweithgynhyrchu i Dde Affrica, felly roedd yn rhaid i'r wlad wneud a phrosesu ei chyflenwadau ei hun. Gan fod llawer o'r bobl wynion yn ymladd dramor, symudodd gweithwyr duon o'r mwyngloddiau i'r diwydiannau newydd yn y dinasoedd. Roedd Mandela yn rhan o'r mudo hwn pan symudodd i Johannesburg yn 1941.

Sefydlu'r Undeb

Yn 1910, sefydlwyd Undeb De Affrica. Roedd trefedigaethau Prydeinig Penrhyn Gobaith Da a Natal yn rhan ohono, a hefyd Orange Free State a Transvaal, sef hen weriniaethau'r Boeriaid. Er bod gwrthryfela wedi digwydd cyn y Rhyfel Byd Cyntaf (1914–18), cryfhaodd yr Undeb ac ehangu trwy gipio rheolaeth dros Namibia (De-Orllewin Affrica, a oedd o dan reolaeth yr Almaen ar y pryd).

Y Blaid Genedlaethol

Yn 1914, sefydlodd y Cadfridog BM Herzog y Blaid Genedlaethol i warchod a hyrwyddo buddiannau'r Afrikaner. Roedd e'n credu bod dylanwad Prydain yn eu boddi. Roedd Herzog yn chwyrn yn erbyn i bobl o wahanol hiliau gymysgu. Yn y lle cyntaf, awgrymodd bolisi 'dwy ffrwd' i'r Afrikaner a'r Prydeinwyr gael datblygu diwylliannau a thraddodiadau ar wahân. Pan ddaeth yn brif weinidog, rhoddodd Herzog ei gynlluniau ar waith, a chafodd iaith Afrikaans ei chydnabod yn swyddogol.

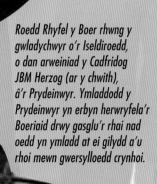

Roedd Rhyfel y Boer rhwng y gwladychwyr o'r Iseldiroedd, o dan arweiniad y Cadfridog JBM Herzog (ar y chwith), â'r Prydeinwyr. Ymladdodd y Prydeinwyr yn erbyn herwryfela'r Boeriaid drwy gasglu'r rhai nad oedd yn ymladd at ei gilydd a'u rhoi mewn gwersylloedd crynhoi.

Apartheid

Yn 1948, daeth Plaid Genedlaethol Afrikaaner i rym o dan Daniel Malan. Cyflwynodd y blaid bolisi apartheid – sy'n golygu 'arwahanrwydd' yn yr iaith Afrikaans. Ceisiodd Malan ddadlau mai datblygiad 'ar wahân ond cydradd' ydoedd, er mai dim ond y lleiafrif gwyn oedd â llais ym materion y genedl. Roedd gan y 4.5 miliwn o bobl gwyn hawliau nad oedd gan neb arall, a doedd y 23 miliwn o bobl dduon ddim yn gallu pleidleisio mewn etholiadau seneddol. Hefyd, dim ond un hil oedd yn cael defnyddio nifer o fannau a sefydliadau cyhoeddus.

Dechrau apartheid

Hyd at yr 20fed ganrif, roedd awdurdodau Prydain wedi rhoi'r bleidlais i bob dyn dros 21 oed yn berchen ar eiddo neu oedd ag arian, gan gynnwys y bobl dduon. Ond ar ôl Rhyfel y Boer, dechreuodd y Prydeinwyr beidio rhoi'r bleidlais i'r brodorion, yn bennaf er mwyn ceisio cael heddwch gyda'r Boeriaid, a oedd yn ffyrnig yn erbyn rhoi hawliau gwleidyddol i Affricanwyr.

Anghydraddoldeb

O dan apartheid, roedd yn rhaid i Affricanwyr, Ewropeaid ac Indiaid fyw mewn ardaloedd ar wahân o'r enw bantustans, a mynd i ysgolion ar wahân. Roedd rhai swyddi'n cael eu cadw i'r bobl wynion. Roedd hyn yn cael ei gyfiawnhau drwy addo y byddai hawliau llawn gan Affricanwyr yn eu bantustans. Ond mewn gwirionedd, gan yr Affricanwyr roedd y tai, yr ysgolion a'r ysbytai gwaethaf. Roedd y cwricwlwm ysgol i blant duon yn llawer mwy israddol na'r un i blant gwynion hefyd. Yn y diwedd, doedd dim hawl gan bobl o hiliau gwahanol briodi wedi i'r Ddeddf Gwahardd Priodasau Cymysg gael ei phasio.

Ledled De Affrica, roedd arwyddion oedd yn dweud 'Gwynion yn unig' neu 'Pobl Liw yn unig', i atgoffa pobl lle roedden nhw'n gallu neu'n methu mynd. Roedd yr arwyddion hyn i'w gweld mewn mannau cyhoeddus, gan gynnwys trafnidiaeth gyhoeddus, bwytai a thraethau.

DANIEL *Malan*

Credai Daniel Malan (1874–1959), y gwleidydd o Dde Affrica, yn bendant yng ngoruchafiaeth pobl wynion a chymdeithas wedi'i threfnu ar sail dosbarth. Daeth yn brif weinidog De Affrica yn 1948 a chyflwynodd bolisi apartheid a'r Ddeddf Ardaloedd Grwpiau (*Group Areas Act*) gan rannu'r wlad yn barthau Gwyn, Du a Lliw.

TARDDIAD *apartheid*

Bathwyd y term apartheid yn y 1930au gan ddeallusion Afrikaner a ffurfiodd Biwro Materion Hiliol De Affrica a (SABRA). Roedd y corff yn galw am bolisi i ddatblygu hiliau ar wahân. Cafodd SABRA ei sefydlu i wrthwynebu Sefydliad Cysylltiadau Hiliol De Affrica, a oedd yn rhyddfrydig.

Deddfau trwydded

Roedd yn rhaid i bob Affricanwr dros 16 oed gario llyfr trwydded er mwyn gadael y bantustans. Roedd y ddogfen yn dangos bod gan y deiliad swydd mewn ardal i'r bobl wynion, ac felly'n gorfod teithio yno. Roedd grym gan yr heddlu i stopio Affricanwyr a mynnu gweld eu llyfr trwydded. Os nad oedd llyfr gan berson, gallai gael ei arestio a'i garcharu. Roedd yn rhaid i Affricanwyr heb lyfrau trwydded fyw mewn ardaloedd heb lawer o gyfleoedd am waith a lle roedd pawb yn dlawd.

Arwahanrwydd gorfodol

O ganlyniad i'r cyfreithiau newydd, roedd yr Affricanwyr yn byw mewn getos, fel tramorwyr yn eu gwlad eu hunain. Mae getos wedi bod mewn sawl gwlad, ond roedd y rhain yn enfawr, gyda grwpiau hiliol wedi'u gwahanu'n gorfforol oddi wrth ei gilydd.

Gwrthwynebiad

Yn 1912, ffurfiwyd Cyngres Genedlaethol Affrica (ANC). Nod y corff cenedlaetholgar amlhiliol hwn oedd rhoi'r hawl i holl boblogaeth De Affrica bleidleisio a chael gwared ar wahaniaethu ar sail hil yno. Ond ar ôl 30 mlynedd o gyflwyno deisebau heddychlon i'r llywodraeth, doedden nhw ddim wedi ennill dim. Byddai angen i genhedlaeth newydd o radicaliaid ifanc yn yr

1940au ddod i gynllunio dull gweithredu mwy milwriaethus. At y grŵp newydd yma y cafodd Nelson Mandela ei ddenu ar ôl cyrraedd Johannesburg.

Yr hen aelodau

Aelodau o'r dosbarth canol Affricanaidd oedd wedi cael addysg Gristnogol oedd sylfaenwyr yr ANC – meddygon, athrawon neu offeiriad yn bennaf. Roedden nhw eisiau i bawb yn Ne Affrica gael yr hawl i bleidleisio. Doedd dim cynlluniau ganddyn nhw i ddymchwel llywodraeth y gwynion, a lledaenwyd eu neges drwy ddeisebau ac areithiau. Ond roedd y ddau brif weinidog a oedd yn amlwg cyn 1948 – JC Smuts a BM Herzog – yn gryf o blaid arwahanrwydd ac yn gwrthod pob apêl gan yr ANC i gael gwared ar apartheid.

O dan apartheid, roedd y bobl dduon yn byw ar wahân i'r bobl wynion mewn getos tlawd. Roedd cartrefi a safleoedd busnes fel y siop barbwr hon, yn cael eu hadeiladu o ddefnyddiau bregus fel sachau neu hen duniau. (Llun gan Jurgen Schadeberg)

Walter Sisulu oedd un o sylfaenwyr Cynghrair Ieuenctid yr ANC, gyda Nelson Mandela (Llun gan Jurgen Schadeberg)

Y Gynghrair Ieuenctid

Yn 1944, ffurfiodd criw o Affricanwyr ifanc radical, gan gynnwys Nelson Mandela, Oliver Tambo a Walter Sisulu, Gynghrair Ieuenctid yr ANC. Er eu bod nhw'n cydnabod y gwaith pwysig roedd yr ANC wedi'i wneud, roedden nhw'n beirniadu ei harweinwyr gwan. Nod y Gynghrair Ieuenctid oedd trefnu gwrthdystiadau torfol ac anufudd-dod sifil i orfodi llywodraeth y bobl wynion i roi hawliau i Affricanwyr.

Ymgyrch Herio

Yn 1952, dechreuodd yr ANC Ymgyrch Herio cyfreithiau apartheid y llywodraeth, gan geisio eu gwneud yn amhosibl i'w gweithredu. Aeth pobl ati i rwygo neu losgi eu llyfrau trwydded a gorymdeithio hebddyn nhw i ardaloedd 'gwynion yn unig'. Yn eu plith roedd Nelson Mandela, oedd bellach yn aelod o Fwrdd Gweithredol Cenedlaethol yr ANC.

Dechreuodd y llywodraeth gosbi'r gwrthdystwyr yn fwy creulon fyth. Cafodd llawer eu carcharu, ond roedd y protestwyr yn fodlon gwneud hyn dros yr achos. Oherwydd yr ymgyrch hon, pasiodd y Cenhedloedd Unedig eu cynnig cyntaf yn condemnio apartheid.

Siarter Rhyddid

Yn 1954, ymgasglodd criw o 3,000 o bobl o bob hil o'r holl fudiadau gwrthapartheid yn Ne Affrica yn Kliptown, ger Johannesburg. Lluniodd y criw hwn, sef Cyngres y Bobl, ddogfen, sef y Siarter Rhyddid, a oedd yn nodi amcanion y mudiad am lywodraeth ddemocrataidd anhiliol a chydraddoldeb i bawb yn ôl y gyfraith. Ond daeth yr heddlu i darfu ar y Gyngres a gofyn am enwau a chyfeiriadau llawer o'r rhai oedd yno.

Sharpeville

Ar 21 Mawrth, 1960, galwodd un o'r cyrff oedd yn ymladd yn erbyn apartheid, y Gyngres Holl-Affricanaidd (PAC), am brotest undydd yn erbyn y cyfreithiau trwydded. Yn Sharpeville, ger Johannesburg, casglodd criw o brotestwyr o gwmpas gorsaf yr heddlu. Er nad oedd drylliau ganddyn nhw, dechreuodd yr heddlu saethu'r dyrfa, gan ladd 69 o bobl ac anafu llawer mwy. Saethwyd nifer ohonyn nhw yn eu cefnau wrth

WALTER *Sisulu*

Gŵr busnes ac arweinydd lleol yn Johannesburg oedd Walter Sisulu (1912–2003) pan gwrddodd Nelson Mandela ag ef yn 1941. Roedd Sisulu wedi ymuno â'r ANC yn 1940, ac wedi dod yn ysgrifennydd cyffredinol yn 1949. Anogodd Mandela i fynychu cyfarfodydd yr ANC. Daeth y ddau ddyn yn ffrindiau gydol oes a byddent yn treulio llawer o flynyddoedd yn y carchar gyda'i gilydd.

MANDELA *yn priodi*

Yn 1944, priododd Nelson Mandela â'i wraig gyntaf, Evelyn Mase. Cafodd fab, Thembi, gyda hi. Daeth y berthynas honno i ben ac yn 1957, cyfarfu â Nomzamo Winifred Madikizela a'i phriodi yn 1958. Gweithiwr cymdeithasol oedd hi a oedd hefyd yn ymgyrchu dros yr ANC.

iddynt geisio dianc. Daeth y byd i gyd i wybod am y gyflafan. Cyhoeddodd y llywodraeth Stad o Argyfwng a gwahardd yr ANC, ac o ganlyniad, gallai'r aelodau gael eu harestio a'u carcharu am hyd at ddeng mlynedd.

Y Treialon

Yn ystod y 1950au, roedd Mandela wedi cael ei wahardd rhag siarad yn gyhoeddus a'i gyfyngu i Johannesburg, ei arestio a'i garcharu. Yn ail hanner y degawd, roedd yn un o'r rhai a gyhuddwyd yn y Treialon Brad epig. Methodd y Treialon Brad yn 1961. Gan fod yr ANC bellach yn anghyfreithlon,

roedd y llywodraeth yn defnyddio pob mesur posib i rwystro'r rhai oedd yn gwrthwynebu apartheid. Nawr, roedd yn rhaid i arweinwyr yr ANC ailddechrau gweithio o'u pencadlys tanddaearol. Mandela oedd yr arweinydd yn ystod y cyfnod newydd hwn o frwydro gwleidyddol. Rhoddodd araith ysbrydoledig mewn Cynhadledd i Affrica Gyfan yn Pietermaritzburg, ym mis Mawrth 1961. Cynhaliwyd y gynhadledd i benderfynu sut i ymateb i benderfyniad y llywodraeth i wahardd yr ANC. Dadleuodd Mandela fod llywodraeth oedd yn anwybyddu'r mwyafrif yn 'annilys', ac y dylai ei bobl wneud unrhyw beth posibl i ymladd dros eu hawliau.

'Sut gellir disgwyl i mi gredu y dylai'r un gwahaniaethu hiliol, sydd wedi achosi cymaint o anghyfiawnder a dioddefaint drwy'r blynyddoedd, roi achos teg ac agored i mi nawr? Nid wyf yn ystyried bod gorfodaeth foesol na chyfreithiol arnaf i ufuddhau i gyfreithiau a wnaeth Senedd nad yw yn fy nghynrychioli. Mae'r egwyddor fod ewyllys y bobl yn sail i awdurdod llywodraeth yn cael ei derbyn yn gyffredinol fel un sanctaidd drwy'r byd gwâr.'

Amddiffyniad Mandela yn y Treialon Brad yn Rivonia.

Cyrff gwrthdystwyr marw yn gorwedd ar strydoedd Sharpeville.

TREIALON *Brad*

Roedd llywodraeth De Affrica wedi ceisio carcharu arweinwyr yr ANC a mudiadau gwrthapartheid eraill ers tro. Yn 1956, arestiodd yr heddlu'r rhan fwyaf o arweinwyr yr ANC a'u cyhuddo o frad. Aeth y treialon ymlaen am bum mlynedd, cyn cael pob un o'r diffynyddion yn ddieuog.

Y diffynyddion yn y Treialon Brad yn trafod eu hachos yn erbyn y llywodraeth y tu allan i'r llys barn. (Llun gan Jurgen Schadeberg)

Brwydr arfog

Credai Mandela ac eraill y dylen nhw nid yn unig barhau i ymladd apartheid ond hefyd godi arfau yn erbyn y llywodraeth. Credai Mandela mai dau ddewis yn unig oedd — 'ildio neu ymladd'. Yn 1961, ffurfiodd adain filwrol yr ANC, o'r enw Umkhonto we Sizwe, sef 'Gwaywffon y Genedl', er mwyn difrodi adeiladau'r llywodraeth, swyddfeydd trwyddedu a pheilonau trydan. Mandela oedd y pennaeth cyntaf.

'The Black Pimpernel'

Yr adeg hon, roedd Mandela yn cuddio rhag yr heddlu. Cafodd ei orfodi i fyw ar wahân i'w deulu a symud o le i le i osgoi'r rhai oedd yn helpu'r llywodraeth ac ysbïwyr yr heddlu. Ond llwyddodd i ymddangos mewn digwyddiadau pwysig, fel arfer wedi'i wisgo fel gyrrwr neu arddwr. Dechreuodd y wasg alw Mandela yn 'The Black Pimpernel' oherwydd ei fod yn llwyddo i osgoi'r heddlu. Teithiodd i wledydd eraill yng Ngorllewin a Gogledd Affrica i ennill cefnogaeth. Teithiodd i Loegr hefyd, lle cyfarfu â gwleidyddion ac ymweld â mannau diddorol.

Arestio

Ar 5 Awst, 1962, arestiwyd Mandela tra oedd yn esgus bod yn yrrwr i un o'i ffrindiau gwyn. Cyhuddwyd ef o annog streiciau ac o adael y wlad yn anghyfreithlon. Gydol yr achos, amddiffynnodd Mandela ei hun, gan wisgo gwisg draddodiadol i'r llys. Ond er iddo amddiffyn ei hun yn gadarn, cafwyd ef yn euog a'i ddedfrydu i bum mlynedd o garchar. Anfonwyd Mandela i Ynys Robben, carchar llym iawn ar ynys tua 12 kilometr oddi ar arfordir Cape Town.

Rivonia

Tra oedd yng ngharchar, daethpwyd â Mandela i'r llys eto gyda holl arweinwyr yr ANC a arestiwyd yn Rivonia – eu pencadlys cudd ger Johannesburg. Cyhuddwyd nhw o ddifrodi a cheisio dymchwel y llywodraeth. Roedden nhw'n wynebu'r gosb eithaf am hyn. Mewn araith sydd bellach yn enwog, siaradodd Mandela am dros bedair awr o'r blwch tystio, gan egluro'r pethau roedd e'n credu ynddyn nhw. Dywedodd ei fod yn gobeithio byw i weld cyflawni'r ddelfryd o gymdeithas ddemocrataidd a rhydd, ond, ychwanegodd, '. . . os oes angen, mae hon yn ddelfryd rwy'n barod i farw drosti'. Dedfrydodd y barnwr y diffynyddion i garchar am oes.

Mandela mewn dillad traddodiadol yn ei achos llys yn 1962.

GENI gweriniaeth

Yn 1961, daeth De Affrica yn weriniaeth a gadael y Gymanwlad. Gwrthododd y Cenhedloedd Unedig gydnabod y weriniaeth a dechreuodd De Affrica gyfnod o 30 mlynedd ar ei phen ei hun yn wleidyddol. Cafodd y wlad ei chau allan o gyrff a digwyddiadau chwaraeon rhyngwladol a hefyd gosodwyd sancsiynau economaidd a masnach arni.

'Roedd deddfwriaeth wedi gwahardd pob dull cyfreithlon o fynegi gwrthwynebiad i'r egwyddor o oruchafiaeth pobl wynion, ac roedden ni mewn sefyllfa lle roedd yn rhaid naill ai derbyn cyflwr parhaol o israddoldeb neu herio'r llywodraeth. Penderfynon ni herio'r llywodraeth.'

Amddiffyniad Mandela yn Achos Rivonia

Yn ystod carchariad Mandela, aeth y frwydr yn erbyn apartheid yn ei blaen. Condemniodd nifer o wledydd y dedfrydau, a galwodd y Cenhedloedd Unedig am ryddhau'r carcharorion yn ddiamod. Roedd annibyniaeth Zimbabwe, Angola a Mozambique, a'r mudiad Ymwybyddiaeth y Duon, dan arweiniad Steve Biko, yn hwb mawr i'r mudiad. Yn 1976, ar ôl cyflafan Soweto, bu streiciau ac ymosodiadau ar orsafoedd heddlu ac adeiladau'r llywodraeth ledled De Affrica.

Dyma lun o Mandela (ar y chwith) yn y carchar ar Ynys Robben gyda Walter Sisulu (ar y dde), ei ffrind a'i gyd-aelod yn yr ANC.

Ynys Robben

Carcharwyd Nelson Mandela a'r carcharorion eraill o Rivonia ar Ynys Robben, carchar llymaf De Affrica. Roedd yr ynys yn rhewllyd yn y gaeaf ac yn grasboeth yn yr haf. Yn ystod y dydd, roedd y carcharorion yn malu creigiau, yn gwnïo sachau post neu'n casglu gwymon o lan y môr. Roedden nhw'n gorfod gwisgo trowsus byr a dim esgidiau ac yn cysgu ar fatiau ar lawr. Roedd cell Mandela'n llai na thri metr sgwâr, gyda bwlb golau 40 wat. Roedd yn gorfod aros yno am 16 awr y dydd.

Trin carcharorion

Ar y dechrau, roedd hawl gan y carcharorion ar Ynys Robben i anfon a derbyn un llythyr bob chwe mis. Roedd y rhain yn cael eu sensro'n drwm, ac yn aml doedden nhw'n fwriadol ddim yn cael eu postio. Yn swyddogol, roedd hawl i gael dau ymweliad y flwyddyn, ond dair gwaith yn unig mewn pum mlynedd y gwelodd Mandela ei wraig. Chafodd e ddim mynd i angladdau ei fam a'i fab, hyd yn oed. Er gwaetha'r amodau llym hyn, roedd yn benderfynol o beidio ildio.

STEVE *Biko*

Roedd Steve Biko (1946–77) yn weithgar gyda mudiadau'r bobl dduon. Sefydlodd fudiad Ymwybyddiaeth y Duon. Astudiodd feddygaeth ym Mhrifysgol Natal, lle dechreuodd ymddiddori mewn gwleidyddiaeth fel arweinydd undeb y myfyrwyr. Roedd yn berson poblogaidd oedd yn annog y bobl dduon i fod yn hunanddibynnol, ond roedd yr heddlu'n aml yn ei ddal. Yn 1977, cafodd ei arestio a bu farw 26 diwrnod yn ddiweddarach, o ganlyniad i niwed i'r ymennydd wedi i staff y carchar ei guro a'i esgeuluso. Ni chafodd ei ddyfarnu'n euog o unrhyw drosedd erioed.

WINNIE *Mandela*

Tra oedd Mandela yn y carchar, bu ei wraig Winnie'n ymgyrchu. Cafodd ei chadw gan yr heddlu heb achos llys a'i phoenydio, ei charcharu, a cheisiodd rhywun ei llofruddio hyd yn oed. Yn 1977, cafodd ei chadw o dan arestiad tŷ mewn pentref bach yn Orange Free State, perfeddwlad yr asgell dde. Doedd dim dŵr na thrydan yn y tŷ ac roedd hi'n gorfod aros yno bob nos, penwythnos a dydd gŵyl gyda'r heddlu'n ei gwarchod.

Ymwybyddiaeth y Duon

Yn y 1970au, daeth cenhedlaeth newydd o radicaliaid ifanc o'r enw mudiad Ymwybyddiaeth y Duon, o dan arweiniad Steve Biko, i ymladd yr achos. Credai Biko na ddylai'r bobl dduon fod yn ddibynnol ar gymdeithas y bobl wynion ac y dylen nhw fod yn ymwybodol ac yn falch o'u hunaniaeth eu hunain.

Soweto

Yn 1976, cyhoeddodd y llywodraeth y byddai hanner y cwricwlwm ysgol yn cael ei ddysgu yn Afrikaans, iaith y lleiafrif gwyn. Doedd dim llawer o athrawon yn siarad yr iaith hon, a dim llawer o blant yn ei deall. Cynhaliwyd protest gan fyfyrwyr yn Soweto ym mis Mehefin. Roedd yn heddychlon i ddechrau ond yna aeth yr heddlu i banig a dechrau saethu. Lladdon nhw dros 500 o brotestwyr ifanc, llawer ohonyn nhw'n rhedeg i ffwrdd. Wedyn, aeth Affricanwyr yn wyllt gacwn, gan ymosod ar orsafoedd heddlu ac adeiladau'r llywodraeth.

Daliodd Winnie Mandela ati i ymgyrchu'n frwd dros y mudiad gwrthapartheid er bod ei gŵr wedi'i garcharu a bod yr heddlu'n cadw llygad arni.

Roedd angladdau'r rhai a laddwyd yng nghyflafan Soweto yn ddigwyddiadau emosiynol dros ben.

'Rhyddhewch Mandela'

Roedd y llywodraeth yn gobeithio y byddai pawb yn anghofio am garcharorion Ynys Robben, ond daliodd y mudiad gwrthapartheid ati i ymladd am eu rhyddid. Ac aeth y mudiad i ryddhau Mandela'n fyd-eang, gyda'r Cenhedloedd Unedig yn galw am ei ryddid a phrotestiadau'n cael eu cynnal ledled y byd. Gosododd sawl gwlad sancsiynau masnach a chwaraeon, fel bod De Affrica ar ei phen ei hun. Nelson Mandela oedd y carcharor gwleidyddol enwocaf yn y byd.

Strategaeth Lwyr

Yn 1978, daeth PW Botha yn brif weinidog De Affrica a chyflwynodd ei Strategaeth Lwyr (Total Strategy) – cynllun gweithredu i ddatrys problemau'r wlad. Gobeithiai y byddai'n plesio'r bobl wynion a'r bobl dduon. Roedd yn llacio rhai o'r cyfreithiau oedd yn cyfyngu ar y bobl dduon, ond hefyd yn rhoi mwy o rymoedd i'r lluoedd diogelwch. Diwygio'r system, nid ei disodli, oedd nod Botha, felly aeth y protestio yn ei flaen.

Sancsiynau rhyngwladol

Er mwyn rhoi rhagor o bwysau ar y llywodraeth, ymgyrchodd yr ANC a'r undebau i gael cwmnïau tramor i roi'r gorau i fuddsoddi yn Ne Affrica a chael gwledydd i beidio prynu nwyddau'r wlad.

PW Botha oedd yr arlywydd tan 1989 pan ymddeolodd oherwydd salwch.

PW *Botha*

Ganwyd Pieter Willem Botha, arweinydd gwleidyddol o Dde Affrica, yn 1916 a daeth yn brif weinidog yn 1978. Newidiodd Botha ychydig bach ar y polisïau apartheid a dechrau trafod â Nelson Mandela, ond cosbodd y rhai oedd yn anghytuno yn llym.

Cafodd y llywodraeth ergyd fawr pan ddechreuodd cwmnïau Americanaidd gau eu swyddfeydd yn y wlad ynghanol yr 1980au. Hefyd, anogodd Cyngres UDA gwmnïau Americanaidd i beidio â buddsoddi yn Ne Affrica.

Y Ffrynt Democrataidd Unedig (UDF)

Ffurfiwyd hwn yn 1983. Roedd 586 o grwpiau gwleidyddol, crefyddol, myfyrwyr, menywod ac undebau llafur yn rhan ohono, sef dros ddwy filiwn o bobl o bob hil. Derbyniodd y Ffrynt y Siarter Rhyddid a gweithio gyda'r ANC i lansio ymgyrch fawr newydd o'r enw 'Rhyddhewch Mandela!'

Mae'r byd yn gwylio

Erbyn hyn, roedd pobl ar draws y byd yn gweld adroddiadau newyddion bob nos am wrthdaro rhwng yr heddlu a phrotestwyr yn Ne Affrica. Roedd cannoedd o bobl yn mynd i angladdau'r rhai oedd wedi eu lladd gan yr heddlu neu gan *vigilantes* gwynion. Roedd hi'n amhosibl cadw trefn ar y treflannau. Er bod Margaret Thatcher, Prif Weinidog Prydain, yn cefnogi'r Cenedlaetholwyr, condemniodd y Gymanwlad lywodraeth De Affrica. Dechreuodd enw Mandela ymddangos mewn graffiti, ar faneri ac mewn caneuon ymhobman. Ym mis Gorffennaf 1988, roedd Stadiwm Wembley yn Llundain dan ei sang gyda 70,000 o bobl yn nodi pen-blwydd Mandela yn y carchar. Darlledwyd y cyngerdd i bedwar ban y byd.

Daw newid

Yn ystod y 1980au, roedd llywodraeth De Affrica wedi cynnig rhyddhau Nelson Mandela sawl tro, ond iddo gytuno i gael ei alltudio i bantustan Transkei. Gwrthododd bob tro. Yn 1982, symudwyd ef o Ynys Robben i garchar Pollsmoor, ar y tir mawr yn Cape Town, a chafodd hawl i gael ymwelwyr. Dechreuodd Mandela siarad â'r llywodraeth o'r diwedd gan ei fod yn awyddus i atal rhagor o drais yn y wlad. Yn y pen draw, byddai'r cyfarfodydd cudd hyn yn arwain at ei ryddhau.

Mandela yng ngharchar

Pan oedd ar Ynys Robben, roedd Mandela wedi llwyddo i smyglo ei hunangofiant allan. Nawr roedd yr amodau'n well a hawl ganddo i wneud mwy o bethau. Astudiodd am radd yn y gyfraith, a threuliodd lawer o amser yn darllen a garddio.

> 'Dynion rhydd yn unig sy'n gallu trafod; dydy carcharorion ddim yn gallu gwneud cytundebau. Ni all eich rhyddid chi a'm rhyddid i gael eu gwahanu.'
>
> Mandela'n siarad am ei rwystredigaeth o fod yn garcharor.

Yn 1980, cynyddodd y pwysau yn enfawr ar y llywodraeth i ryddhau Nelson Mandela, o ffynonellau gwleidyddol a phoblogaidd. Yma, mae tyrfa'n chwifio baneri yn Stadiwm Wembley yn ystod cyngerdd yn cefnogi rhyddhau'r eilun du.

RHYDDHEWCH *Mandela!*

Yn 1985, trefnwyd gorymdaith gan y bobl o Cape Town i garchar Pollsmoor, lle roedd Mandela'n cael ei gadw, i roi neges iddo, sef: 'Nid wyt wedi gwerthu genedigaeth-fraint dy bobl i gael bod yn rhydd, ac ni fyddwn yn gorffwys tan y byddi di'n rhydd.'

Roedd hi'n anodd i FW de Klerk berswadio'r bobl dduon i ymddiried ynddo.

FW *de Klerk*

Ganwyd Frederick Willem de Klerk yn 1936, ac aeth i'r senedd yn 1976. Roedd yn weithgar ar adain geidwadol y Blaid Genedlaethol. Pan ddaeth yn arlywydd yn lle PW Botha, dywedodd de Klerk ei fod yn geidwadwr oedd eisiau diwygio'r system apartheid yn raddol a gwella cysylltiadau diplomyddol. Doedd neb wedi dyfalu mai ef fyddai'r arlywydd fyddai'n dod ag apartheid i ben.

a mudiadau eraill. Addawodd y byddai'n rhyddhau cannoedd o garcharorion gwleidyddol a chael gwared ar y gosb eithaf. Hefyd agorodd de Klerk nifer o fannau cyhoeddus – gan gynnwys traethau, parciau, tai bwyta, bysys a llyfrgelloedd – i bobl o bob lliw.

> *'Rhaid adfer cyfraith a threfn . . . rhaid defnyddio holl rym y Wladwriaeth at y diben hwn.'*
>
> *Louis La Grange, Gweinidog Cyfraith a Threfn, yn cyfiawnhau'r Stad o Argyfwng a gyhoeddwyd yn Ne Affrica yn 1985.*

Yn 1988 cafodd Mandela salwch tiwberciwlosis. Ar ôl cyfnod yn yr ysbyty, symudwyd ef i dŷ pennaeth carchar o fewn carchar Victor Verster yn Paarl, 50 kilometr y tu allan i Cape Town, a chafodd ragor o gysylltiad â'i deulu a'i ffrindiau.

Arlywydd newydd

Yn 1985, pan gafodd gynnig mynd yn rhydd ar yr amod na fyddai'n ymgyrchu dros yr ANC, ymateb Mandela oedd: 'Rwy'n gwerthfawrogi fy rhyddid fy hun, ond . . . wnaf i ddim addo pan nad ydw i a chi, y bobl, yn rhydd.' Yn 1989, ymddeolodd yr Arlywydd Botha oherwydd salwch a daeth FW de Klerk yn ei le. I ddechrau, doedd de Klerk ddim yn cefnogi newid, ond sylweddolodd mai dim ond gwaethygu y byddai sefyllfa'r wlad, felly dechreuodd arwain y wlad i gyfeiriad newydd.

Araith hanesyddol

Ar 2 Chwefror, 1990, yn ei araith agoriadol i'r senedd, gwnaeth de Klerk rywbeth nad oedd unrhyw arweinydd gwladwriaeth De Affrica wedi'i wneud erioed – cyhoeddi cynlluniau i gael gwared ar apartheid, gan ddechrau drwy gyfreithloni'r ANC

Trafodaethau cudd

Y tu ôl i'r llenni, roedd Nelson Mandela yn trafod ei ryddhau â phwyllgor cudd o'r llywodraeth. Mewn gwirionedd, Mandela oedd yn dweud beth oedd ei amodau. Mynnodd fod ei hen ffrindiau ar Ynys Robben yn cael eu rhyddhau, gan gynnwys Walter Sisulu. Rhyddhawyd nhw o'r diwedd ym mis Hydref 1989. Cwrddodd Mandela â de Klerk am y tro cyntaf ym mis Rhagfyr 1989, yn Tuynhuys, swyddfa swyddogol yr arlywydd. Pwysleisiodd fod angen cael gwared ar y gyfundrefn apartheid. Gwrandawodd de Klerk ond roedd yn anghytuno â Mandela.

Rhyddhau sydyn

Yna, ar 10 Chwefror, 1990, galwodd de Klerk Mandela i'r Tuynhuys eto. Dywedodd wrtho y byddai'n cael ei

RHESYMAU *dros newid*

Roedd nifer o resymau pam newidiodd y llywodraeth ei hagwedd. Roedd De Affrica'n cael ei chadw fwyfwy ar wahân i'r byd, ac roedd sancsiynau'n niweidio'r economi. Roedd ffrindiau'r wlad yn colli amynedd, hyd yn oed. Roedd y Stad o Argyfwng wedi rhoi miloedd o bobl yn y ddalfa ond doedd dim cyfraith a threfn yn y trefgorddau o hyd. Ar yr un pryd, roedd De Affrica'n ymladd rhyfel oedd heb ei ddatgan yn Angola gerllaw, ac roedd hynny'n ddrud iawn. Erbyn hyn roedd hyd yn oed y fyddin yn galw am newid.

Mae'r darlun hwn yn dangos grŵp o fenywod Affricanaidd a gafodd eu hanafu yn y rhyfel rhwng De Affrica ac Angola.

ryddhau'r diwrnod canlynol. Roedd hyn yn syndod mawr i Mandela, a gwrthododd i ddechrau. Roedd eisiau wythnos o rybudd er mwyn i'w deulu a'r ANC gael amser i baratoi. Ond roedd de Klerk eisoes wedi rhoi gwybod i'r wasg, felly doedd e ddim eisiau newid y dyddiad. Cynllun de Klerk oedd hedfan Mandela i Johannesburg a'i ryddhau'n swyddogol yno, ond gwrthwynebodd Mandela. Roedd eisiau cerdded allan o gatiau'r carchar a chyfarch pobl Cape Town. Cydsyniodd de Klerk – ond dim ond os oedd Mandela'n cytuno i gael ei ryddhau'r diwrnod canlynol. Cawson nhw wydraid o wisgi i selio'r cytundeb, ond esgus yfed wnaeth Mandela gan ei fod yn llwyrymwrthodwr.

Gwarchodwyr carchar yn edrych allan o'r bwthyn lle roedd Nelson Mandela yn cael ei gadw'n garcharor. Byddai ffotograffwyr yn ceisio cael lluniau o'r carcharor enwog yn gyson.

*R*oedd Nelson Mandela'n mynd i gael ei ryddhau am 3.00 pm, ond dechreuodd ei ddiwrnod ar doriad gwawr. Roedd angen gwneud y trefniadau ar frys gan fod y rhyddhau wedi digwydd mor sydyn. Oherwydd yr holl fanylion, prin roedd gan Mandela amser i sylweddoli pa mor bwysig oedd yr achlysur.

TEULU A FFRINDIAU   `00:30`

Treuliodd Nelson Mandela funudau cyntaf y dydd yn ffonio Winnie, ei wraig, Walter Sisulu, ei ffrind, a chyd-weithwyr yn Cape Town i ddweud wrthyn nhw ei fod yn mynd i gael ei ryddhau'n ddiweddarach y diwrnod hwnnw. Trefnodd pawb i hedfan ar awyren arbennig er mwyn bod yno ar gyfer y digwyddiad hanesyddol. Yna, drafftiodd araith i'w rhoi i'w gefnogwyr, ac yn y diwedd aeth i'r gwely yn oriau mân y bore.

Cafodd yr ANC wybod fesul awr am y broses o ryddhau Mandela.

YR EILIADAU OLAF   `04:30`

Ar fore braf o haf yn Cape Town, dyma Nelson Mandela'n deffro, ymarfer, ymolchi, bwyta brecwast, a bwrw ymlaen â'i araith. Daeth meddyg y carchar i weld ei fod yn iawn. Wedyn ffoniodd Mandela ei gyd-weithwyr yn yr ANC a'r UDF i ofyn iddyn nhw ddod i'r carchar i'w helpu i baratoi. Hefyd roedd Mandela'n bwriadu ffarwelio'n bersonol â phob un o swyddogion y carchar.

Nelson Mandela'n edrych ymlaen at gael ei ryddhau.

BARN *y bobl*

'Arhosais am oriau ar y Parade yn Cape Town gan obeithio cael cip ar Nelson Mandela ar ôl iddo gael ei ryddhau. Roedd pobl dduon a gwynion yn cymysgu â'i gilydd mewn awyrgylch hwyliog ac ysgafn. Doeddwn i erioed wedi gweld cymaint o bobl ar y Parade mewn 15 mlynedd. Fel arfer, roedd yn llawn ceir . . . ond ar y diwrnod hwn, roedd dan ei sang o bobl o bob hil.'

Andrew Malcolm, a fu'n gwylio.

'Roeddwn i gartref yn Cape Town. Roeddwn i wedi bod yn aros am y diwrnod hwn gydol fy mywyd . . . nawr, flwyddyn ar ôl graddio, dyma fi gartref yn gwylio'r teledu, yn ceisio cael ymdeimlad bod hanes ar fin digwydd. Yna . . . dyna fe – Nelson, yr arwr, ein Dafydd ym mrwydr apartheid . . . eiliad nad oeddwn i byth yn meddwl y byddwn yn ei gweld.'

Noel Southgate, oedd yn fyfyriwr graddedig yn Ne Affrica ar y pryd.

Roedd yn rhaid i swyddogion carchar Victor Verster ymdopi â holl ddiddordeb y wasg yn y penderfyniad i ryddhau Nelson Mandela.

CYNLLUNIO

Yn gynnar yn y bore, cyrhaeddodd aelodau o'r Pwyllgor Derbyn y bwthyn. Trafodon nhw'r trefniadau i Mandela ymddangos ar y Grand Parade yn Cape Town. Cyn hir, roedd y bwthyn yn llawn pobl. Ynghanol yr holl baratoadau prysur, roedd yn rhaid i Mandela ddod o hyd i amser i bacio ei eiddo yn y bocsys a'r cratiau roedd y gwasanaeth carchar wedi'u rhoi iddo. Roedd wedi casglu digon o bethau i lenwi drod ddwsin o gynwysyddion yn ystod ei flynyddoedd yng ngharchar ar y tir mawr.

DESMOND TUTU

Doedd neb wedi penderfynu eto ble byddai Mandela'n treulio ei noson gyntaf o ryddid. Roedd e eisiau aros yn nhreflannau pobl dduon Cape Town, i ddangos ei gefnogaeth iddyn nhw. Ond cafodd ei gynghori i aros gyda'r Archesgob Desmond Tutu.

Cynghorodd swyddogion Mandela i fynd i gartref yr Archesgob Desmond Tutu.

WINNIE'N CYRRAEDD

`14:00`

Cyrhaeddodd Winnie, Walter a'r lleill, ac roedd awyrgylch dathlu yn y bwthyn. Eisteddodd pawb i gael pryd bwyd olaf, wedi'i baratoi gan Swyddog Gwarant Swart (ar y dde), un yr oedd Mandela wedi ffurfio cyfeillgarwch agos ag ef dros y blynyddoedd. Ar ôl y pryd bwyd, ffarweliodd Mandela â Swart, a'r swyddogion eraill yn y bwthyn.

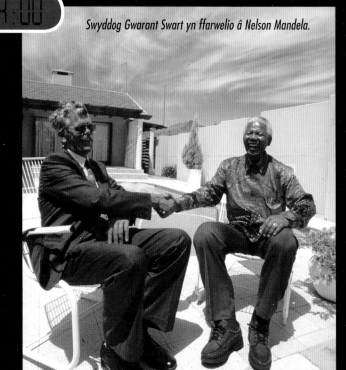

Swyddog Gwarant Swart yn ffarwelio â Nelson Mandela.

BARN *y bobl*

Roedd y rhyddhau '*yn gam arwyddocaol arall ar y ffordd i Dde Affrica ddemocrataidd, heb fod yn hiliol.*'

George Bush (yr Hynaf) – Arlywydd UDA

GADAEL Y BWTHYN 15:55

Am 3.00 pm, cafodd Mandela alwad ffôn gan gyflwynydd o orsaf deledu De Affrica i ofyn iddo ddod allan o'r car cyn cyrraedd y clwydi er mwyn iddyn nhw ei ffilmio'n cerdded yn rhydd. Cytunodd Mandela, ond poenai fwyfwy eu bod nhw'n hwyr. Ychydig cyn 4.00 pm, roedd y fodurgad yn barod o'r diwedd i fynd â Mandela i Cape Town. I ffwrdd â'r ceir o'r bwthyn, gan stopio ychydig cyn y glwyd fel bod Nelson a Winnie'n gallu cerdded gweddill y ffordd. Wrth y glwyd, gwelodd Mandela'r dyrfa enfawr o ohebwyr a chefnogwyr am y tro cyntaf. Dim ond criw bychan o swyddogion carchar a'u teuluoedd roedd e wedi'u disgwyl!

Modurgad Mandela ar ei ffordd i Cape Town, gan stopio ychydig cyn y glwyd er mwyn i Mandela gwrdd â'r tyrfaoedd.

HWRÊ I MANDELA 16:00

Pan oedd Mandela wrth y glwyd, dechreuodd cannoedd o gamerâu glician a gwaeddodd gohebwyr gwestiynau, wrth i'r dyrfa floeddio'n wyllt. Cydiodd yn llaw Winnie ar gyfer y rhan olaf, gan fod yr holl gyffro'n ormod iddo. Pan wthiodd gohebydd feicroffon hir blewog tuag ato, camodd am 'nôl, gan feddwl mai rhyw fath o arf newydd oedd e. Pan gododd ei fraich dde i roi saliwt yr ANC, rhuodd y dorf. Yna, ychydig funudau'n ddiweddarach, dringodd Mandela i gar arall i yrru i Cape Town.

Roedd tyrfaoedd cyffrous yn barod i gyfarch Nelson a Winnie Mandela wrth iddyn nhw gerdded drwy glwydi'r carchar.

YR EILIAD ALLWEDDOL *11 Chwefror, 1990*

YMLAEN I CAPE TOWN

Gyrrodd Mandela, y dyn 71 oed oedd newydd gael ei ryddhau o garchar, drwy diroedd ffermio llewyrchus y bobl wynion. Hyd yn oed yma, safai pobl wrth y ffordd i gael cip ar y fodurgad. Cododd rhai pobl wynion eu dyrnau i roi saliwt yr ANC, a chafodd Mandela ei gyffwrdd cymaint fel y stopiodd y car i fynd allan i ddiolch i un teulu. Tra oedd Mandela ar ei ffordd i Cape Town, roedd 60,000 o bobl yn aros gyda baneri enfawr yn y Grand Parade, sgwâr agored mawr o flaen hen Neuadd y Ddinas. Roedd llawer wedi bod yno ers y bore bach, ac yn dechrau aflonyddu. Roedd rhai wedi llewygu yn y gwres neu wedi cael eu gwasgu gan y dyrfa. Ar un adeg, torrodd un o'r prif bibellau ddŵr a rhuthrodd pobl ati i gael dŵr oer.

Mandela ar y ffordd i Cape Town.

Roedd tyrfaoedd wedi ymgasglu drwy'r dydd i gyfarch Mandela ym mhrifddinas De Affrica.

BARN *y bobl*

'Mae'r amser wedi dod i ni siarad.'
Arlywydd Kaunda o Zambia

'Buddugoliaeth i wrthsefyll cenedlaethol a phwysau rhyngwladol dros y rhai oedd yn gwarchod apartheid gartref a'i gefnogwyr dramor.'
Sonny Ramphal (Ysgrifennydd Cyffredinol y Gymanwlad)

'Welwch chi pa mor hyfryd mae pobl De Affrica yn gallu bod?'
Dyn ifanc ger Neuadd y Ddinas

'Un genedl ydyn ni, y duon a'r gwynion. Un bobl ydyn ni.'
Hen ddyn ger Neuadd y Ddinas

ALLAN O REOLAETH?

Yn y cyfamser, yn y strydoedd cefn o gwmpas y Grand Parade, saethodd yr heddlu at griwiau o lanciau. Roedden nhw'n honni eu bod nhw'n chwalu ffenestri ac yn dwyn o siopau. Hefyd taniodd yr heddlu belenni adar a bwledi rwber i wasgaru rhannau o'r dyrfa. Cafodd y rhai oedd wedi'u hanafu driniaeth feddygol, gan gynnwys plant. Bu'r heddlu'n ymosod ar dyrfaoedd oedd yn dathlu rhyddhau Mandela mewn rhannau eraill o'r wlad hefyd.

Digwyddodd sawl terfysg yn ystod diwrnod rhyddhau Mandela.

Y GRAND PARADE

Erbyn iddyn nhw gyrraedd cyrion Cape Town, roedd hi'n amlwg bod y rali groesawu yn anferth, wrth i lu o bobl lifo i'r Grand Parade. I ddechrau, ceisiodd gyrrwr Mandela fynd â'i deithiwr pwysig drwy'r dyrfa, ond trodd yn ôl pan ddaeth ton o bobl o gwmpas y car, gan guro ar y ffenestri, neidio ar y to a siglo'r cerbyd. Roedd y gyrrwr yn mynd i banig, felly awgrymodd Mandela eu bod nhw'n mynd i dŷ Dullah Omar, ei ffrind a'i gyfreithiwr, i gael pwyllo. Ar ôl diodydd oer, gyrron nhw i fynedfa gefn y Grand Parade.

AROS

Roedd hi'n nosi pan ddaeth Mandela i annerch y tyrfaoedd ar y Grand Parade. Roedd y Parch. Frank Chicane a'r Parch. Allan Boesak, dau weinidog gwrthapartheid, wedi annog y dorf i fod yn amyneddgar wrth i'r oriau fynd heibio. Er i nifer o'r 60,000 gwreiddiol adael, arhosodd rhyw 10,000. Ymgasglodd tyrfaoedd tebyg

Anogodd y Parch. Allan Boesack y dyrfa i fod yn amyneddgar.

mewn trefi a dinasoedd ledled y wlad. Roedd canol trefi Johannesburg a Soweto, oedd yn dawel ar ddydd Sul fel arfer, yn llawn o bobl yn dathlu. Darlledwyd araith Mandela'n fyw dros y byd — ond roedd yn rhaid i wylwyr De Affrica aros sawl munud iddi gael ei dangos.

Roedd cefnogwyr Mandela yn aros yn eiddgar am ei araith enwog.

MAE MANDELA'N BAROD

Cafodd Mandela ei arwain drwy'r fynedfa gefn ac i'r llawr uchaf. Pan gerddodd allan ar y balconi, dyma'r dorf yn gweiddi a churo dwylo, gan godi baneri uwch eu pennau. Aeth y sŵn yn gryfach wrth i Mandela godi ei ddwrn i'r awyr. Tynnodd yr araith yr oedd wedi'i hysgrifennu oriau ynghynt o'i boced, ond doedd ei sbectol ddim yno, roedd wedi ei gadael yn y carchar. Bu'n rhaid iddo fenthyg sbectol Winnie i ddarllen yr araith!

Rhoddodd Mandela ei araith i dyrfa o dros 10,000 o bobl.

YR ARAITH YN DECHRAU

Yn ei araith, diolchodd Mandela i'r holl bobl dros y byd oedd wedi ymgyrchu i'w ryddhau, gan sôn yn arbennig am yr holl fudiadau gwrthapartheid yn Ne Affrica ei hun. Hefyd soniodd am ei deulu, oedd wedi dioddef, 'llawer mwy na mi'. Dywedodd wrth y bobl nad oedd wedi taro unrhyw fargen â'r llywodraeth i gael ei ryddhau. Yna, canmolodd de Klerk, ond rhybuddiodd y bobl nad oedd y frwydr yn erbyn apartheid ar ben. 'Wrth weld rhyddid ar y gorwel, dylem gael ein hannog i ddwysáu ein hymdrechion,' meddai.

GALWADAU FFÔN GAN HEN FFRINDIAU

Pan oedd yr araith ar ben, cafodd Mandela ei gludo i gar a'i yrru i ffwrdd. Hyd yn oed nawr, roedd wynebau duon ar hyd y strydoedd, yn canu ac yn galw ei enw. Y noson honno, arhosodd yn nhŷ'r Archesgob Desmond Tutu, lle daeth ei deulu a'i ffrindiau i'w gyfarfod. Yno, cafodd alwad ffôn oedd yn bwysig iawn iddo: siaradodd ag Oliver Tambo, ei hen ffrind, o Stockholm, lle roedd yn gwella ar ôl strôc.

Treuliodd Mandela ei noson gyntaf o ryddid yng nghartref Desmond Tutu.

BARN *y bobl*

'Rwy'n sefyll ger eich bron nid fel proffwyd, ond fel gwas gwylaidd i chi, y bobl.'

'Rwyf wedi ymladd yn erbyn tra-arglwyddiaeth y bobl wynion ac wedi ymladd yn erbyn tra-arglwyddiaeth y bobl dduon. Rwyf wedi coleddu'r syniad o gymdeithas ddemocrataidd a rhydd lle mae'r holl bobloedd yn byw gyda'i gilydd mewn cytgord a chyfle cyfartal. Delfryd yw hon rwy'n gobeithio byw drosti a'i chyflawni, ond os oes angen, mae hi'n ddelfryd rwy'n barod i farw drosti.'

Dyfyniadau o araith Mandela

Y diwrnod wedi iddo gael ei ryddhau, dechreuodd y gwaith go iawn i Nelson Mandela a'r ANC. Roedd apartheid yno o hyd, a'r llywodraeth oedd wedi ei gynnal ers cymaint o amser ar draul miliynau o fywydau yn Ne Affrica. Dechreuodd Mandela fynd o gyfarfod i gyfarfod, gan weithio'n galed i drafod cyfansoddiad newydd a helpu'r ANC i ddod yn blaid wleidyddol go iawn.

Teithio dramor

Ym mis Mehefin 1990, aeth Mandela ar daith chwe wythnos i Ewrop a Gogledd America i gwrdd ag arweinwyr y byd. Ym Mharis, cyfarfu â'r Arlywydd Mitterand, a theithiodd drwy'r Swistir, yr Eidal, yr Iseldiroedd a Lloegr. Pan gyrhaeddodd Efrog Newydd, cafodd ei gyfarch wrth orymdeithio drwy'r strydoedd, lle roedd dros filiwn o bobl wedi tyrru – a phob un yn awyddus i gael cip arno. Cwrddodd Mandela â'r Arlywydd Bush (Hynaf), gan ei annog i beidio â chodi'r sancsiynau tan i apartheid gael ei chwalu'n llwyr a bod llywodraeth dros dro yn ei lle yn Ne Affrica. Cyn dychwelyd adref, aeth i Uganda, Kenya a Mozambique ar gyfandir Affrica hefyd.

Ychydig o gynnydd

Ychydig ar ôl rhyddhau Mandela, llofnododd y llywodraeth gytundeb â'r ANC i ddiddymu cyfreithiau gormesol, rhyddhau carcharorion gwleidyddol a pharhau i drafod. Ond roedd trais yn broblem o hyd – lladdwyd dros 3,000 o bobl yn 1990 yn unig. Roedd Mandela'n awyddus i gyflymu'r broses o ddiddymu apartheid ac ailadeiladu'r wlad. Perswadiodd yr ANC i roi'r gorau i'r frwydr arfog, er mwyn dangos ewyllys da. Fis yn ddiweddarach, cododd y llywodraeth y Stad o Argyfwng. Ond daeth yn amlwg i lawer fod gan de Klerk ragfarnau hiliol o hyd.

Mandela'n archwilio milwyr yn ystod ei ymweliad â Phrydain

INKATHA

Mudiad gwleidyddol yw Inkatha ac fe'i sefydlwyd yn 1975 gan y Pennaeth Gatsha Buthelezi (ar y dde). Inkatha yw enw'r benwisg mae menywod Zulu yn ei gwisgo i gario llwythi trwm. Mae Buthelezi'n arweinydd ar chwe miliwn o Zulus, y grŵp ethnig mwyaf yn Ne Affrica. Er mai nod Inkatha oedd creu system ddemocrataidd anhiliol yn Ne Affrica, roedd wedi ceisio gweithio gyda llywodraeth y bobl wynion; felly cafodd ei feirniadu gan yr ANC.

Inkatha

Un broblem fawr oedd y trais yn Natal, lle roedd Inkatha, mudiad ceidwadol y Pennaeth Buthelezi wedi cyhoeddi rhyfel yn erbyn yr ANC ac yn llosgi pentrefi cyfan, gan ladd nifer o bobl. Dechreuodd Mandela a'r lleill amau bod heddlu De Affrica yn ysgogi'r gwrthdaro, gyda chefnogaeth y llywodraeth, er mwyn dwyn anfri ar fudiadau Affricanaidd a'u gwanhau. Ymwelodd Mandela ag arweinwyr Inkatha, gan ddweud wrthyn nhw:

'Ewch â'ch drylliau, eich cyllyll a'ch twceiod,
   a'u taflu i'r môr!'

Cynhadledd yr ANC

Ym mis Gorffennaf 1991, cynhaliodd yr ANC eu cynhadledd flynyddol yn Johannesburg, y gyntaf i'w chynnal yn Ne Affrica ers 30 mlynedd. Daeth dros 2,200 o gynrychiolwyr yno. Etholwyd Mandela'n llywydd yn ddiwrthwynebiad, a dechreuwyd trafod troi mudiad rhyddhau tanddaearol anghyfreithlon yn blaid wleidyddol gyfreithlon. Fel y dywedodd Mandela yn ei araith:

'Dydy'r frwydr ddim ar ben.'

Nelson Mandela ac FW de Klerk yn dangos Gwobrau Heddwch Nobel.

Trafodaethau

Ddiwedd 1991, cynhaliwyd Confensiwn ar gyfer De Affrica Ddemocrataidd (CODESA) yn Johannesburg. Daeth cynrychiolwyr o 18 o gyrff at ei gilydd i drafod cyfansoddiad newydd, ond roedd agenda wahanol gan bawb, a methodd y trafodaethau. Mewn refferendwm i'r bobl wynion yn unig ym mis Mai 1992, roedd dwy ran o dair o blaid trafodaethau, felly cawson nhw drafodaethau eto, CODESA II. Methodd y rhain hefyd. Y flwyddyn wedyn, penderfynwyd sefydlu llywodraeth o undod cenedlaethol am bum mlynedd, gyda chynrychiolwyr o bob plaid wleidyddol yn ysgrifennu cyfansoddiad newydd i'r wlad. 27 Ebrill, 1994, fyddai dyddiad yr etholiad.

Trychinebau

Cyn yr etholiad, bu ton newydd o drais yn Ne Affrica. Ym mis Mehefin 1992, lladdodd cefnogwyr Inkatha 49 o ddynion, menywod a phlant yn Boipatong, treflan i'r bobl dduon. Honnodd tystion iddyn nhw weld tryciau'r heddlu'n dod â phobl Inkatha i mewn. Gwrthododd yr ANC siarad â'r llywodraeth tan i de Klerk alw am ddiwedd i'r trais. Yna, fisoedd wedyn, saethwyd Chris Hani, y gweithredwr du poblogaidd, o flaen ei dŷ gan grŵp gwyn asgell dde eithafol. Bu terfysg mawr oherwydd hyn. Ymbiliodd Mandela ar y bobl i ymdawelu a pheidio â rhwystro'r symud tuag at lywodraeth y mwyafrif drwy ddulliau heddychlon.

Yr etholiad

Er gwaetha'r trais, aeth y cynlluniau ar gyfer yr etholiad yn eu blaen. Roedd llawer o waith i'w wneud i addysgu'r etholwyr duon, a fyddai'n pleidleisio am y tro cyntaf erioed (a llawer ohonyn nhw'n anllythrennog). Aeth fforymau pobl o gwmpas y

GWOBR *Nobel*

Yn 1993, rhoddwyd Gwobr Nobel i Mandela a FW de Klerk a theithion nhw i Oslo, Norwy, i'w derbyn. 'Bum mlynedd yn ôl, byddai pobl wedi amau pa mor gall oedd unrhyw un a fyddai'n rhagfynegi y byddwn i a Mr Mandela yn derbyn Gwobr Heddwch Nobel 1993 gyda'n gilydd,' meddai de Klerk yn ei ddarlith Nobel. 'Ac eto mae'r ddau ohonon ni yma o'ch blaenau chi heddiw.'

YSGARU *â Winnie*

Ar ôl gadael y carchar, ychydig o amser roedd Mandela wedi'i gael i'w dreulio gyda'i deulu, ac yn 1992 daeth ei briodas â Winnie i ben. Roedd Winnie wedi cael ei dedfrydu am herwgipio, a hynny'n deillio o gipio bachgen 14 oed a gafodd ei guro i farwolaeth yn ddiweddarach. Roedd Mandela wedi bod yn gefn iddi yn ystod yr achos, ond sylweddolodd yn y pen draw fod y briodas ar ben.

Ysgarodd Nelson Mandela â'i ail wraig Winnie yn 1992.

wlad i gyd i siarad â phobl ac i ateb eu cwestiynau. Ar ddiwrnod yr etholiad, arhosodd 23 miliwn o bobl yn amyneddgar mewn ciw i fwrw eu pleidlais mewn gorsafoedd pleidleisio. Dechreuodd pobl deimlo'n fwy cadarnhaol a daeth y trais i ben.

Enillodd yr ANC yr etholiad gyda 62.6% o'r bleidlais a daeth Mandela'n arlywydd du cyntaf De Affrica.

Miliynau o bleidleiswyr duon yn aros yn amyneddgar am oriau i gael pleidleisio am y tro cyntaf.

CARTREF *newydd*

Ar ôl cael ei ryddhau, trefnodd Mandela i dŷ gael ei godi yn Qunu, yn Transkei, lle cafodd ei eni. Ar y tir, mae wedi codi byngalo sy'n union yr un fath â byngalo'r warden lle cafodd ei garcharu yng ngharchar Victor Vester. Bob blwyddyn, mae'n cynnal parti Nadolig yma i filoedd o blant a'u rhieni.

Yr Arlywydd Mandela

Ar ôl yr etholiad, daeth arweinwyr y byd i Dde Affrica i dalu teyrnged i Mandela. Ond ar ôl y dathlu, roedd tasgau di-ri'n wynebu Mandela. Roedd y llywodraeth newydd, o dan arweiniad yr ANC, wedi etifeddu gwlad lle roedd yr economi'n wan, gyda llawer o lygredd a rhaniadau hil. Roedd Mandela wedi ymrwymo i gael gwared ar y system apartheid, ac yn enwedig ar yr anghydraddoldeb rhwng y bobl dduon a'r bobl wynion. Ond hefyd roedd yn rhaid iddo gynnal economi a allai roi swyddi i bawb. Roedd y newid yn araf – roedd llawer o Affricanwyr yn dal yn dlawd iawn, a bu protestiadau treisgar mewn sawl rhan o'r wlad.

Nelson Mandela yn cwrdd â Bill Clinton, a ddaeth yn ffrind personol i arlywydd newydd De Affrica.

Llywodraeth newydd

Roedd llywodraeth Mandela'n cynnwys gweinidogion Affricanaidd, Indiaidd a gwyn, a rhai oedd yn arfer cefnogi apartheid, hyd yn oed. Ar y cyfan, roedd y gweinidogion hyn yn ddibrofiad, ac yn aml byddai Mandela'n gwneud penderfyniadau er mwyn datrys pethau'n gyflym, er bod yr ANC yn arfer trafod cyn dod i benderfyniad. Rhoddodd 4.2 biliwn rand i ddiwygio'r system iechyd, tai ac addysg, ac i hybu twf economaidd. Ymysg pethau eraill, addawodd godi 300,000 o gartrefi newydd y flwyddyn erbyn troad y ganrif. Hefyd, pasiodd Mandela Ddeddf Adfer Hawliau Tir, felly cafodd y bobl dduon y tir oedd wedi cael ei ddwyn o dan apartheid yn ôl.

Cyfansoddiad newydd

Cymerodd y broses o ysgrifennu'r cyfansoddiad newydd bron i ddwy flynedd, a dyma un o gyfansoddiadau mwyaf uchelgeisiol y byd. Ar y diwrnod pan gafodd ei basio yn

1996, dechreuodd y cynrychiolwyr a'r gwylwyr yn siambr y senedd ddathlu. 'Dyma'r diwrnod pan fo De Affrica'n cael ei geni go iawn,' meddai Cyril Ramaphosa, cadeirydd y senedd. Roedd yn gwahardd gwahaniaethu ar sail hil, rhyw, tuedd rywiol, oedran, beichiogrwydd neu statws priodasol. Hefyd, rhoddodd hawliau i'w dinasyddion gael tai digonol, bwyd, dŵr, gofal iechyd, addysg a nawdd cymdeithasol – doedd gan y mwyafrif du ddim hawl i'r rhain yn ystod cyfnod apartheid.

Comisiwn Gwirionedd a Chymod

Yn 1996, sefydlwyd y Comisiwn Gwirionedd a Chymod i ymchwilio i droseddau gwleidyddol cyfnod apartheid. Treuliodd y Comisiwn ddwy flynedd a hanner yn llunio'r adroddiad. Yr Archesgob Desmond Tutu oedd y cadeirydd, a chymerodd dros 20,000 o ddatganiadau gan unigolion roedd eu hawliau dynol wedi cael eu heffeithio. Y nod oedd peidio â chosbi'r drwgweithredwyr, ond gofyn iddyn nhw ymddiheuro'n gyhoeddus. Meddai Mandela, 'Os na wnawn ni faddau iddyn nhw, bydd y teimlad o chwerwder a dial yn parhau.'

Canfyddiadau'r comisiwn

Galwyd llawer o bobl gerbron y Comisiwn, gan gynnwys FW de Klerk, a ymbiliodd am faddeuant am flynyddoedd apartheid, a Winnie Mandela, oedd yn gysylltiedig ag ymddygiad treisgar ei gwarchodwyr. Condemniodd y Comisiwn y ffordd roedd y gyfundrefn apartheid yn cam-drin hawliau dynol, gan gyhuddo'r Arlywydd Botha o fod â rhan yn llawer o'r erchyllterau, er iddo wrthod dod i'r gwrandawiadau. Yn 1998, cyhoeddodd y Comisiwn ei adroddiad, er gwaethaf ymdrech de Klerk i ddileu ei enw rhag bod yn gysylltiedig ag anghyfiawnderau'r cyfnod apartheid. Teimlai llawer o'r bobl dduon yn Ne Affrica fod y Comisiwn wedi rhoi maddeuant yn rhy hawdd i nifer fawr o bobl euog. Hefyd, credent nad oedd ymddiheuro'n unig yn ddigon.

Cefnogwr chwaraeon

Dewisodd Mandela rywbeth pwerus i bontio'r bwlch rhwng yr hiliau – chwaraeon. Fel arlywydd, byddai'n ymddangos mewn gêmau rygbi pwysig, oherwydd yn draddodiadol y bobl wynion yn unig oedd yn chwarae rygbi. Bu'n gwylio gêm derfynol Cwpan Rygbi'r Byd yn 1995, a phan gurodd De

Roedd Mandela'n ymddangos yn gyson o flaen tyrfaoedd chwaraeon enfawr yn gwisgo lliwiau traddodiadol timau De Affrica.

Affrica Seland Newydd, gwisgai grys gwyrdd y Springbok wrth roi'r cwpan i Francois Pienaar, capten De Affrica. Roedd Mandela hefyd yn allweddol wrth ddenu Cwpan Criced y Byd i Dde Affrica yn 2003 ac ymddangosodd mewn hysbysebion teledu i hyrwyddo'r digwyddiad.

F**el arlywydd, daeth Nelson Mandela yn llysgennad mawr i'w wlad ac yn symbol o ryddid a dyngarwch ymhobman. Bob blwyddyn, roedd tua 5,000 cais yn dod iddo wneud ymddangosiadau ac ymweliadau swyddogol, ond dim ond ychydig ohonyn nhw roedd yn gallu eu derbyn. Hyd yn oed wedyn, roedd ei ddyddiadur yn llawn am fisoedd ymlaen llaw, gyda rhywbeth yn digwydd bob awr o'r dydd. Meddai'r Archesgob Desmond Tutu amdano, 'Rwy'n blino'n lân dim ond wrth edrych ar yr amserlen sydd ganddo.'

Diplomydd

Oherwydd cydymdeimlad, hiwmor a chraffter gwleidyddol Mandela, gallai gynnal perthynas ag arweinwyr o bob pegwn i'r sbectrwm gwleidyddol, o arlywyddion America i Fidel Castro, arweinydd Cuba. Hefyd, roedd ganddo gysylltiadau diplomyddol â'r Cadfridog Gaddafi ac Arafat, dynion yr oedd America'n eu hystyried yn eithafwyr peryglus. Cofiai Mandela iddyn nhw helpu'r ANC yn eu brwydr hir yn erbyn apartheid.

Ailbriodi

Pan oedd yn ei 70au, cwrddodd Mandela â Grace Machel, gweddw cyn-arweinydd Mozambique, a dod yn ffrindiau agos â hi. Mae hi, fel Mandela, wedi ymgyrchu dros hawliau dynol, i fenywod a phlant

yn enwedig. Yn 1998, ar ei ben-blwydd yn 80 oed, priododd Mandela â Grace, gan ddweud: 'Hi yw fy mywyd'. Mae ganddyn nhw 45 o blant ac wyrion rhyngddyn nhw, ac mae Nelson yn treulio cymaint o amser ag sy'n bosib gyda nhw.

Gwaith elusennol

Yn 1995, sefydlodd Mandela Gronfa Plant Nelson Mandela, gyda chyfraniad personol o 30% o'i gyflog. Ers hynny, mae'r elusen wedi codi dros £20 miliwn ac wedi dosbarthu tua £6 miliwn i brosiectau i leihau tlodi plant. Yn ystod y blynyddoedd diweddar, mae Cronfa'r Plant wedi canolbwyntio ar blant a theuluoedd sydd wedi cael eu heffeithio gan HIV ac AIDS.

Roedd Mandela'n ymddangos yn gyhoeddus yn aml ar ôl ymddeol o fyd gwleidyddiaeth, gan gynnwys y tro hwn gyda'r Spice Girls.

Epidemig AIDS

Yn Ne Affrica, mae pedair miliwn o bobl yn HIV positif. Ar gyfartaledd, mae 600 o bobl y dydd yn marw o salwch sy'n gysylltiedig ag AIDS ac mae dros 660,000 o blant wedi colli'r ddau riant oherwydd HIV ac AIDS. Rhan o'r broblem yw nad oedd arweinwyr De Affrica yn barod i siarad am fater sy'n rhywbeth 'preifat' i lawer o Affricanwyr. Pan oedd yn arlywydd, roedd Mandela'n ofni ypsetio'r pleidleiswyr drwy siarad am y clefyd. Ni fu'r arlywyddion a ddaeth wedi Mandela yn barod i drafod y mater chwaith. Ond ers iddo ymddeol, mae Mandela wedi ymgyrchu'n ddygn ar y mater a chodi arian y mae ei angen yn fawr.

CYMORTH *i AIDS*

Yn 1991, daeth datblygiad pwysig yn y frwydr yn erbyn AIDS pan benderfynodd grŵp o 39 cwmni fferyllol rhyngwladol roi'r gorau i'r ymgais i atal De Affrica rhag mewnforio cyffuriau AIDS rhatach.

Mae ymgyrchwyr AIDS yn Ne Affrica yn ceisio codi ymwybyddiaeth am y clefyd. Mae hyn, yn ogystal â rhagor o gyffuriau newydd i ymladd y firws, yn golygu y dylai fod mwy o obaith i Dde Affrica yn y dyfodol.

Dyma lun o Mandela gyda Grace Machel, ei wraig, ar ei ben-blwydd yn 80 oed.

Er ei fod wedi ymddeol o fyd gwleidyddiaeth, mae amserlen Mandela'n dal yn brysur ac mae'n teithio llawer. Yma, mae'n siarad â Kofi Annan, a oedd yn bennaeth y Cenhedloedd Unedig hyd at 2006.

Dewisodd Mandela Thabo Mbeki i fod yn Ddirprwy Arlywydd iddo. Bu Mbeki'n Arlywydd De Affrica o 1999 i 2008, ar ôl i Nelson Mandela ymddeol.

Ymddeol

Yn 1999, ar ôl pum mlynedd yn arlywydd, ymddeolodd Mandela a dychwelyd i'w gartref yn Transkei lle roedd wedi cael ei eni. Ond mae'n dal i deithio a chwrdd ag arweinwyr y byd. Mae'n un o ddynion enwocaf a mwyaf ysbrydoledig y byd. Mae ei farn ar ddigwyddiadau'r byd – o drafferthion ei wlad ei hun i'r rhyfel yn Afghanistan – yn dal i fynnu sylw. Heddiw, mae Nelson Mandela'n dweud y bydd yn rhaid iddo ymddeol o'i ymddeoliad rywbryd!

Olynwyr

Mae tri arlywydd wedi olynu Mandela: Thabo Mbeki, Kgalema Motlanthe a Jacob Zuma. Bu'r tri 'n weithgar gyda'r ANC pan oedden nhw'n ifanc. Maen nhw wedi bod yn canolbwyntio ar godi safonau byw i'r bobl dduon a gwneud yn siŵr fod yr economi mewn cyflwr da.

Pryder am iechyd

Er bod Nelson Mandela yn ei nawdegau ac yn ymddangos yn fregus erbyn hyn, mae'n rhyfeddol o heini ac iach. Mae'n teithio i bobman gyda'i feddyg ei hun. Ond ym mis Gorffennaf 2001, cafodd Mandela ddiagnosis canser y prostad, a chafodd gwrs saith mis o radiotherapi yn Cape Town. 'Rwy'n mynd i gadw llygad ar y datblygiad bach yma,' meddai, gyda'i hiwmor arferol. Ym mis Chwefror 2002, cyhoeddodd i'r driniaeth fod yn llwyddiannus.

DYFODOL *Winnie*

Yn 2003, roedd Winnie Mandela yn y llys eto, y tro hwn ar gyhuddiadau o dwyll a lladrata. Cafodd ddedfryd o bum mlynedd yng ngharchar. Fel Robin Hood ein dyddiau ni, cafodd ei dedfrydu am gael benthyciadau drwy dwyll i bobl oedd yn dlawd iawn. Mae Winnie'n dal i fod yn berson dadleuol, ond mae llawer o bobl De Affrica yn ei chefnogi.

'Os oes unrhyw ddyn ar y ddaear wedi ennill yr hawl i ddweud ei farn, Mandela yw hwnnw.'

Bill Clinton

Celf yn codi arian

Yn 2002, trodd Mandela ei sylw at ddawn arall – peintio. Cynhyrchodd gyfres o ddarluniau siarcol a phastel lliwgar wedi'u hysbrydoli gan ei gyfnod ar Ynys Robben, a gwerthwyd nhw i godi arian i'w elusen plant. Arddangoswyd y darluniau yn Llundain ac ar Ynys Robben – sydd bellach yn Safle Treftadaeth y Byd, y cyntaf yn Ne Affrica. Mae rhan o'r safle bellach wedi'i enwi ar ôl Nelson Mandela, ei garcharor enwocaf.

Ffilm Mandela

Yn 2003, cyhoeddwyd y byddai ffilm am fywyd Nelson Mandela'n cael ei gwneud, gyda Morgan Freeman, yr actor o UDA, yn y brif ran. Er mwyn paratoi ar gyfer y rhan hon, trefnodd Freeman a Mandela i gwrdd pan fydden nhw o fewn 1,000 milltir i'w gilydd. Hunangofiant Mandela, *Long Walk to Freedom*, yw sail y ffilm. Meddai Freeman: 'Mae'n anrhydedd i mi, ac rwy'n ofni na fyddaf i'n llwyddo i bortreadu'r dyn hwn yn llwyddiannus'. Meddai Sheakhr Kapur, y cyfarwyddwr o Brydain, 'Mae Mandela'n arweinydd ysbrydol fel Gandhi. Does dim angen iddo ymladd brwydr waedlyd er mwyn ennill.'

'Rhowch i ni, y bobl, y cyfle i benderfynu ar ddyfodol ein gwlad yn rhydd!'

Thabo Mbeki yn siarad wrth gael ei ethol yn Arlywydd De Affrica yn 1999.

Mae Morgan Freeman, yr actor, wedi chwarae sawl rhan yn ystod ei yrfa, ond efallai mai rhan bwysicaf ei fywyd yw rhan Nelson Mandela yn y ffilm Invictus (2009) am fywyd Mandela.

Mae sawl her yn wynebu De Affrica yn y dyfodol. Hyd yn oed ar ôl cael gwared ar apartheid, y bobl gwynion sy'n berchen ar y rhan fwyaf o'r economi, gan gynnwys y tir, a'r bobl gwynion sydd â llawer o'r swyddi gorau. Mae tlodi ac anghyfartaledd yn dal i fod yn bynciau llosg, ac mae'r cyfraddau llofruddiaeth ddeg gwaith yn uwch nag yn yr Unol Daleithiau.

Brwydr barhaus

Y broblem fwyaf difrifol yn Ne Affrica yw AIDS. Mae un o bob naw person wedi'i heintio â HIV ac mae dros 150 o blant yn cael eu geni'n HIV positif yn y wlad bob dydd. Yn 2002, daeth Cronfa Plant Nelson Mandela a Chronfa Goffa Diana, Tywysoges Cymru (a sefydlwyd ar ôl ei marwolaeth yn 1997) at ei gilydd i lansio menter enfawr i gefnogi plant a theuluoedd sydd wedi'u heffeithio gan yr argyfwng. Roedd Mandela a Diana wedi trefnu ymgyrch ar y cyd yn 1997 pan ddaeth hi i Dde Affrica, bum mis cyn iddi farw. Ar ôl iddi farw, canmolodd Mandela ymrwymiad Diana i achosion dyngarol, gan ddweud: 'Rhaid i'w hysbrydoliaeth barhau i newid bywydau nawr ac yn y dyfodol.'

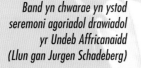

Band yn chwarae yn ystod seremoni agoriadol drawiadol yr Undeb Affricanaidd (Llun gan Jurgen Schadeberg)

rhwydwaith **NGO**

Mae Cyrff Anllywodraethol (NGOs) wedi creu rhwydwaith eang o gyrff yn Ne Affrica i helpu ymladd yn erbyn AIDS. Mae'r Gymdeithas Genedlaethol i Bobl sydd ag Aids (NAPWA) wedi dod yn llais mwy pwerus i'r rhai sy'n byw gyda'r firws. Ym mis Chwefror 2000, lansiodd y llywodraeth y Cyngor AIDS Cenedlaethol (NAC) sy'n cynnwys cynrychiolwyr o'r llywodraeth, byd busnes, NGOs a'r sector meddygol.

Teulu ifanc sydd wedi'i effeithio gan firws AIDS.

Plaid bwerus

Mae rhai pobl yn poeni bod yr ANC yn mynd yn rhy bwerus. Petai'n cyrraedd ei nod, sef cael mwyafrif o ddwy ran o dair mewn etholiad cyffredinol, gallai wneud newidiadau mawr heb ymgynghori ag unrhyw un o'r pleidiau gwleidyddol eraill. Hefyd, mae'r blaid eisiau newid cymal yn y cyfansoddiad er mwyn i'r arlywydd aros am fwy na dau dymor, sef yr uchafswm ar hyn o bryd. Mae rhai pobl yn poeni bod y pleidiau eraill yn Ne Affrica yn rhy wan i wrthwynebu'r ANC yn iawn ac y gallai hyn niweidio democratiaeth.

Colli pobl alluog

Mae De Affrica hefyd yn gorfod ceisio annog ei gweithwyr proffesiynol medrus i aros yn y wlad, gan fod miloedd lawer yn dewis mudo dramor bob blwyddyn i chwilio am well bywyd. Mae llawer yn gadael oherwydd yr holl droseddu, oherwydd bod diweithdra'n codi ac am eu bod yn ofni epidemig AIDS. Mae'r llywodraeth yn ceisio gwyrdroi'r duedd hon, gan roi cefnogaeth ariannol a busnes i gwmnïau sy'n hyfforddi gweithwyr duon i lenwi'r bylchau. Ond mae pobl eraill o'r farn y dylai'r llywodraeth geisio annog mewnfudo o wledydd eraill i Dde Affrica.

Yr Undeb Affricanaidd

Yn 2002, sefydlwyd yr Undeb Affricanaidd (AU). Ar y dechrau, roedd 53 o wledydd Affrica'n rhan ohono, a Thabo Mbeki, arlywydd De Affrica oedd y cadeirydd cyntaf. Mae'r AU wedi'i seilio'n fras ar yr Undeb Ewropeaidd, a'i nod yw hyrwyddo democratiaeth drwy Affrica gyfan.

'Dyna un o'r pethau oedd yn fy mhoeni – cael fy nyrchafu i fod yn hanner duw – oherwydd nid person ydych chi wedyn. Roeddwn i eisiau cael fy adnabod fel Mandela, dyn sydd â rhai gwendidau, rhai'n sylfaenol, a dyn sy'n ymroddedig, ond eto, weithiau, sy'n methu bodloni'r disgwyliadau.'

Nelson Mandela

1400–1799

• 1488: Bartolomeu Diaz, y fforiwr o Bortiwgal, yw'r cyntaf o Ewrop i hwylio o gwmpas penrhyn De Affrica.

• 1600au: Pobl oedd yn siarad Bantu yn symud i ardal De Affrica heddiw, gan gynnwys pobl Sotho, Swazi, Zulu a Xhosa (pobl Mandela).

• 1652: Pobl o'r Iseldiroedd yn sefydlu Cape Town ar eithaf penrhyn de Affrica, yn borthladd i fasnachwyr sy'n teithio ar y ffordd o Ewrop i'r Dwyrain Pell.

• 1795: Y Prydeinwyr yn ymosod ar Cape Town ac yn cipio'r drefedigaeth dros dro o ddwylo'r Iseldirwyr.

1800–1899

• 1806: Y Prydeinwyr yn ceisio goresgyn Cape Town am yr ail dro.

• 1814: Y Prydeinwyr yn prynu Cape Town a'r cyffiniau am £6 miliwn.

• 1836–56: Yr Iseldirwyr – sydd eisiau dianc rhag grym y Prydeinwyr – yn sefydlu gweriniaethau Transvaal, Orange Free State a Cape Colony.

• 1867: Darganfod diemwntau yn Kimberley, Cape Colony.

• 1886: Darganfod aur yn Transvaal. Oherwydd hyn a'r diemwntau, daw llif o chwilwyr o Ewrop, sy'n gwrthdaro â'r Boeriaid (ffermwyr o'r Iseldiroedd).

• 1899–1902: O ganlyniad i Ryfel y Boer, mae'r Prydeinwyr yn cipio rheolaeth ar Transvaal a'i fwyngloddiau diemwnt ac aur.

1900–1919

• 1910: Ffurfio Undeb De Affrica, sy'n cynnwys Penrhyn Gobaith Da, Natal, Orange Free State a Transvaal.

• 1910: Deddfau trwyddedu sy'n mynnu bod pobl dduon yn cario trwyddedau teithio, gweithio, preswyl a chyrffyw. Cosb bosib am beidio â'u dangos.

• 1911: Cyfreithiau newydd yn rhwystro pobl dduon rhag gweithio mewn llawer o swyddi.

• 1912: Sefydlu'r gymdeithas genedlaethol gyntaf i bobl dduon, Cyngres Genedlaethol Frodorol De Affrica (SANNC).

• 1913: Y Ddeddf Tir Brodorol sy'n ei gwneud hi'n anghyfreithlon i bobl dduon fod yn berchen ar diroedd, heblaw am ychydig warchodfeydd brodorol – ychydig dros saith y cant o'r tir i gyd.

• 1914: Y Cadfridog BM Herzog yn sefydlu'r Blaid Genedlaethol i hyrwyddo buddiannau'r Afrikaner.

• 1914–1918: Y Rhyfel Byd Cyntaf.

• 18 Gorffennaf, 1918: Geni Nelson Mandela.

1920–1952

• 1923: Llywodraeth De Affrica'n pasio Deddf Ardaloedd Trefol sy'n creu ardaloedd arbennig, fel arfer ar gyrion dinasoedd, lle gallai'r bobl dduon gael eu gorfodi i fyw.

• 1923: Cyngres Genedlaethol Frodorol De Affrica (SANNC), a sefydlwyd yn 1912, yn newid ei henw i Gyngres Genedlaethol Affrica (ANC).

• 1924: Rhai swyddi di-grefft ar gael i ymgeiswyr gwyn yn unig.

• 1933: Y Blaid Unedig, a ffurfiwyd pan ddaeth y Blaid Genedlaethol a'r wrthblaid, Plaid De Affrica at ei gilydd, yn llywodraethu De Affrica.

• 1944: Nelson Mandela, Oliver Tambo, Walter Sisulu ac eraill yn ffurfio Cynghrair Ieuenctid yr ANC, sydd ag agenda mwy radical na'r ANC.

• 1944: Nelson Mandela'n priodi â'i wraig gyntaf, Evelyn Mase. Ysgaru yn 1958.

• Mawrth 1950: Mandela'n ymuno â Bwrdd Gweithredol Cenedlaethol yr ANC.

• 1952: Dechrau'r Ymgyrch Herio, gyda'r nod o ddefnyddio anufudd-dod sifil fel na fyddai apartheid yn gallu gweithio.

1952–1959

- *1952: Ethol Mandela'n llywydd Cynghrair Ieuenctid yr ANC ac yn ddirprwy lywydd yr ANC ei hun.*

- *Mandela'n agor swyddfa gyfreithiol yn Johannesburg gydag Oliver Tambo yn bartner.*

- *1954–5: Cyngres y Bobl, sy'n cynnwys mudiadau gwrthapartheid o Dde Affrica i gyd, yn llunio Siarter Rhyddid yn galw am gydraddoldeb i bawb. Nelson Mandela yw un o'r trefnwyr.*

- *1956: Arestio Mandela a gweithredwyr duon eraill a'u rhoi ar brawf am frad. Mae'r achosion yn para tan 1961, a phob un o'r diffynyddion yn cael eu rhyddhau.*

- *1958: Mandela'n priodi Nomzamo Winifred Madikizela, sy'n cael ei hadnabod fel Winnie Mandela.*

1960–1969

- *Mawrth 1960: Cyflafan Sharpeville – mae 69 o bobl dduon, sy'n gwrthdystio yn erbyn y Cyfreithiau Trwyddedu'n cael eu lladd gan yr heddlu, a llawer mwy yn cael eu hanafu. Penawdau ledled y byd. Oherwydd yr helynt sy'n deillio o hyn, mae'r llywodraeth yn gwahardd yr ANC.*

- *1961: Mandela'n dod yn Bennaeth Umkhonto we Sizwe ('Gwaywffon y Genedl'), adain filwrol yr ANC.*

- *Awst 1962: Arestio Mandela ac yna ei ddedfrydu i chwe mis o garchar ar Ynys Robben, oddi ar arfordir Cape Town.*

- *Hydref 1963: Cyhuddo Mandela o ddifrodi yn Rivonia.*

- *Mehefin 1964: Dedfrydu Mandela i garchar am oes ar Ynys Robben.*

1970–1989

- *1976: Yng Nghyflafan Soweto, dros 500 o fyfyrwyr oedd yn gwrthdystio yn erbyn apartheid yn cael eu lladd gan yr heddlu.*

- *1977: Arestio Steve Biko, y gweithredwr du. Mae'n marw yn y carchar 26 diwrnod yn ddiweddarach.*

- *1982: Symud Mandela o Ynys Robben i garchar Pollsmoor ar y tir mawr.*

- *1985: Cynnig rhyddid i Mandela ond iddo roi'r gorau i drais gwleidyddol. Mae'n gwrthod y cynnig.*

- *1987: Mandela'n dechrau trafodaethau cyfrinachol â'r llywodraeth.*

- *1988: Mandela'n symud i fyngalo preifat ar dir carchar Victor Verster ger Cape Town.*

- *Hydref 1989: Rhyddhau hen ffrindiau Mandela ar Ynys Robben, gan gynnwys Walter Sisulu.*

- *Rhagfyr 1989: Mandela'n cwrdd â'r Arlywydd FW de Klerk. Rhagor o gyfarfodydd, ac yn y pen draw mae de Klerk yn cytuno i ryddhau Mandela'n ddiamod.*

1990–2009

- *2 Chwefror 1990: Llywodraeth De Affrica'n codi'r gwaharddiad ar yr ANC ac yn rhyddhau llawer o garcharorion gwleidyddol.*

- *11 Chwefror 1990: Rhyddhau Nelson Mandela o garchar ar ôl 10,000 diwrnod.*

- *Gorffennaf 1990: Ethol Mandela'n llywydd yr ANC.*

- *1993: Nelson Mandela a FW de Klerk yn ennill Gwobr Heddwch Nobel.*

- *10 Mai 1994: Mandela'n dod yn arlywydd De Affrica yn etholiadau cyntaf y wlad lle mae pawb yn cael pleidleisio.*

- *1996: Sefydlu'r Comisiwn Gwirionedd a Chymod i ymchwilio i droseddau gwleidyddol cyfnod apartheid.*

- *1998: Mandela'n ysgaru â Winnie Mandela ac yn priodi â Grace Machel.*

- *Mehefin 1999: Mandela'n ymddeol o fywyd cyhoeddus ar ddiwedd ei dymor pum mlynedd fel arlywydd.*

- *2009: Rhyddhau'r ffilm 'Invictus'.*

GEIRFA

Afrikaans Un o ieithoedd swyddogol Gweriniaeth De Affrica, sy'n perthyn yn agos i'r Iseldireg a'r Fflemineg.

alltud Byw y tu allan i'ch gwlad eich hun am gyfnod o amser; fel arfer rydych chi wedi cael eich anfon o'r wlad, neu eich alltudio.

anufudd-dod sifil Gweithredu cyfreithlon fel gorymdeithiau a gwrthdystiadau sy'n protestio yn erbyn cyfreithiau annheg.

apartheid Yn Ne Affrica, apartheid oedd gorfodi pobl Affricanaidd, Ewropeaidd ac Indiaidd i fod ar wahân.

arestiad tŷ Cael eich gorfodi i aros mewn un man, yn eich tŷ eich hun fel arfer. Mae llawer o weithredwyr gwleidyddol wedi cael eu cadw o dan arestiad tŷ mewn gwledydd o gwmpas y byd i'w hatal rhag creu aflonyddwch.

arwahanu Creu cyfleusterau ar wahân yn yr un gymdeithas i grŵp arall eu defnyddio. Er enghraifft, roedd apartheid yn Ne Affrica yn arwahanu cyfleusterau i bobl wynion a phobl dduon.

Bantu Grŵp o ieithoedd tebyg sy'n cael eu siarad yn gyffredinol yn ne, dwyrain a chanolbarth Affrica, gan gynnwys Zulu, Swahili a Xhosa; hefyd enw'r bobl sy'n siarad unrhyw un o'r ieithoedd hyn. Mae'r gair 'Bantu' yn golygu 'pobl' yn Zulu.

bantustans Ardaloedd yn Ne Affrica lle roedd pobl nad oedden nhw'n wyn yn cael eu gorfodi i fyw o dan apartheid gan yr awdurdodau.

Boeriaid Yr enw ar bobl yn Ne Affrica sy'n ddisgynyddion i'r ymsefydlwyr gwreiddiol o'r Iseldiroedd. Erbyn hyn Afrikaners yw'r enw ar y bobl hyn.

boicotio Protestio yn erbyn pobl, mudiad neu wlad drwy wrthod ymwneud â nhw neu wrthod prynu nwyddau o'r wlad.

brad Y drosedd o geisio dymchwel neu niweidio llywodraeth gwlad.

ceidwadwr Unigolyn neu gorff sy'n ffafrio cadw arferion neu werthoedd fel y maen nhw, ac sy'n gwrthwynebu newid.

Cenhedloedd Unedig Corff rhyngwladol a ffurfiwyd yn 1945 i gynrychioli holl lywodraethau'r byd ac i hyrwyddo heddwch, cydweithio a diogelwch rhyngddyn nhw. Mae'r pencadlys yn Efrog Newydd, UDA.

comiwnydd Cefnogwr system wleidyddol lle mae'r llywodraeth yn hytrach nag unigolion yn rheoli eiddo a diwydiant.

cyfansoddiad Dogfen ysgrifenedig sy'n cynnwys amccanion gwlad neu gorff ac sy'n dweud sut caiff ei r(h)edeg.

cymodi Grwpiau gwrthwynebus yn dod at ei gilydd i ddod i gytundeb.

deddfwriaeth Mae'n cyfeirio at y broses o wneud cyfraith, neu at y gyfraith ei hun.

deiseb Llythyr wedi'i llofnodi gan nifer o bobl yn gofyn i lywodraeth neu gorff wneud neu newid rhywbeth.

democrataidd Disgrifiad o system wleidyddol lle mae gan bawb hawliau cyfartal.

difrodi Gwneud difrod bwriadol i offer neu beiriannau am resymau gwleidyddol, neu eu dinistrio'n llwyr.

geto Rhan o ddinas lle mae llawer iawn o'r bobl dlotaf yn byw o dan amodau slym. Hefyd gellir ei ddefnyddio i ddisgrifio ardal dlawd o dref lle mae pobl o'r un cefndir ethnig yn cael eu gorfodi i fyw. Er enghraifft, roedd llawer o bobl dduon yn cael eu gorfodi i fyw mewn getos yn Ne Affrica pan oedd apartheid yn ei anterth.

goruchafiaeth pobl wynion Damcaniaeth neu gred bod pobl wynion yn well neu'n uwchraddol i bobl o hiliau eraill.

guerrilla Term sy'n cael ei ddefnyddio i ddisgrifio rhyfela ar raddfa fach, fel arfer i ymladd yn erbyn yr heddlu neu'r fyddin. Yn hytrach na gwrthwynebu'r gelyn sy'n llawer mwy na nhw yn agored, mae guerrillas yn defnyddio dulliau eraill, fel ymosod ar gyflenwadau pŵer a chysylltiadau trafnidiaeth neu eu dinistrio.

gweithredwr Rhywun sy'n rhoi amser ac egni i achos gwleidyddol neu gymdeithasol.

hawliau dynol Hawliau unigolion i ryddid a chyfiawnder.

Inkatha Corff gwleidyddol Zulu a ffurfiwyd yn 1975 gan y Pennaeth Gatsha Buthelezi. Ei nod oedd creu system ddemocrataidd anhiliol yn Ne Affrica ond ceisiai weithio gyda llywodraeth y bobl gwynion. Ar ôl rhyddhau Nelson Mandela, bu gwrthdaro treisgar rhwng Inkatha a'r ANC a theimlai llawer mai llywodraeth y bobl gwynion oedd yn corddi hyn.

llysgennad Cynrychiolydd gwlad. Fel arfer mae gan wledydd lysgenhadon ffurfiol sy'n byw mewn llysgenadaethau mewn gwledydd eraill o gwmpas y byd. Ond gall person fod yn llysgennad anffurfiol, gan gynrychioli ei wlad drwy ei enw da a'i weithredoedd.

mudo Pobl yn symud o un lle, rhanbarth neu wlad, i un arall.

pobl grwydrol Pobl sy'n symud o un lle i'r llall i ddod o hyd i fwyd a thir i anifeiliaid ei bori.

pobl liw Term a ddefnyddir yn Ne Affrica i ddisgrifio pobl o gefndir gwyn a du cymysg.

radical Rhywun sydd o blaid newidiadau eithafol neu sylfaenol i system wleidyddol, economaidd neu gymdeithasol.

sancsiynau Mesurau y mae un wladwriaeth yn eu defnyddio yn erbyn un arall er mwyn ceisio gorfodi newid polisi. Fel arfer, mae sancsiynau ar ffurf dod â masnachu â gwlad arall i ben, gwrthod prynu eu nwyddau neu gyflenwi nwyddau a gynhyrchwyd mewn unrhyw wlad arall.

stad o argyfwng Cyfnod pryd mae'r llywodraeth yn diddymu hawliau fel rhyddid siarad fel bod llai o bosibilrwydd o drais torfol. Mae cyfyngiadau eraill mewn stad o argyfwng, fel cyrffyw yn ystod oriau'r nos.

streic Ffurf ar weithredu diwydiannol lle mae gweithwyr mewn ffatri neu ddiwydiant yn rhoi'r gorau i weithio er mwyn protestio am amodau gwaith gwael neu gyflog isel.

trefedigaeth Gwlad neu ardal sy'n cael ei rheoli gan wlad arall. Rhwng yr 16eg a'r 19eg ganrif, sefydlodd nifer o genhedloedd Ewrop, gan gynnwys Prydain, Sbaen a Ffrainc, drefedigaethau ledled y byd.

treflan Ardal fel tref neu ddinas lle roedd yn rhaid i bobl dduon fyw o dan apartheid. Digwyddodd cyflafan yn Soweto, un dreflan, pan laddwyd dros 500 o fyfyrwyr oedd yn gwrthdystio gan heddlu De Affrica yn 1976.

vigilante Person sy'n penderfynu bod rhaid iddo/iddi warchod ei (h)ardal neu ei (h)eiddo.

ymsefydlwyr Criw o bobl sy'n teithio o un wlad i wlad arall ac yn penderfynu byw yno. Gallai pobl eraill fod yn berchen ar y tir.

MYNEGAI

CYDNABYDDIAETH

Cyhoeddwyd gyntaf yn 2003 gan ticktock Media Ltd.,
Unit 2, Orchard Business Centre, North Farm Road, Tunbridge Wells, Kent, TN2 3XF

ISBN 978 1 84851 279 5

Cyhoeddir gyda chefnogaeth
Llywodraeth Cynulliad Cymru.

Argraffwyd a rhwymwyd yng Nghymru gan
Wasg Gomer, Llandysul, Ceredigion SA44 4JL
www.gomer.co.uk

Cydnabod Lluniau:
c = canol; g = gwaelod; ch = chwith; dd = dde; t = top.
Alamy: 31g, Corbis: 4tch, 7t, 17tdd, 20t, 21t, 19g, 23g, 24g, 28-29c, 31dd, 32t, 34g, 36g, 41t.
Hulton Archive: 13g, 17g, 18ch.
Jurgen Schadeberg: 4g, 11t, 12ch, 14, 40g.
Louise Gubb: 5dd, 10g, 21g, 22dd, 23c, 24t, 26g, 27cdd, 29c, 33g, 37g, 39c, 42t.
PA Photos: 28t, 28g. Topfoto: 30g.